賞心樂事誰家院

文化审美与艺术鉴赏

郑培凯 著

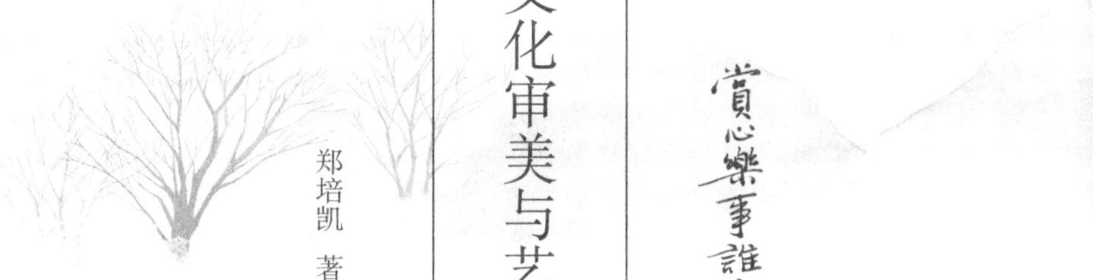

文汇出版社

总 序

鄭培凱

一

最早听说顾炎武（1613–1682）写《日知录》，是在初中一年级的时候，知道他是大学问家，行万里路，读万卷书，是明末清初继往开来的一代宗师。后来还知道他写过《天下郡国利病书》《肇域志》，以及一些音韵训诂的书，上知天文，下知地理，以经世博学开创了清代朴学的实证风气。这些知识都是听一位长辈介绍的，还说顾炎武有一副对联：“风声雨声读书声，声声入耳；家事国事天下事，事事关心。”显示读书人的风骨与抱负。顾炎武著作等身，都与经世济民有关，是年轻人学习的榜样。听长辈谆谆教导，说

到“天下兴亡，匹夫有责”，很是激昂慷慨，作为后生小子，虽然心向往之，想看看《日知录》，却慑于顾炎武学问太大，没敢到图书馆去借阅。

到了高中，读书渐多，才知道那副掷地有声的对联不是顾炎武作的，是他的本家前辈明末东林书院顾宪成（1550–1612）所撰，也由此憬悟，耳食的知识不太可靠，必须眼见为实。于是，到图书馆去借了几册《日知录》，还记得是老商务印书馆的“万有文库”本，每一册都薄薄的，比手掌略大一点，总共大概有十几二十来册。翻开《日知录》，发现这是部记录读书之后考证与随感的学术札记，经史子集无所不包，林林总总，博大精深。《日知录》的《目录题辞》说，“愚自少读书，有所得辄记之，其有不合，时有改定”。《四库全书总目提要》评论《日知录》说：“炎武学有本原，博赡而能通贯，每一事必详其始末，参以证佐而后笔之于书。故引据浩繁，而牴牾者少。”顾炎武的读书法给我很深刻的印象，就是要博读群书，读书必须“心到手到”，若有心得就写成札记。札记是“为己之学”，不急

着发表，以后遇上新材料，也不可“臆必固我”，要能随时修正不太妥善的论点。

顾炎武形容他写《日知录》是“采铜于山”，像矿工一样，在群书的山峦之中开矿，以辛劳的汗水，披沙拣金，孜孜矻矻饱览群籍，日日夜夜爬梳书牍，获取有用的宝贵知识。他读书问学的方法对我影响很大，觉得做学问写文章，第一先要多读书，其次要读得透彻，再来要有自己独到的心得，绝对不可“天下文章一大抄”，假充学问家。写文章要有内容，而且是温故知新确有自身体会的内容，绝对不能像《孟子》描绘的齐人，每天到坟上去乞食，餍足了酒食，回家还要“骄其妻妾”，当一个恬不知耻的学术乞丐。然而，学海无涯，就如庄子所说：“吾生也有涯，而知也无涯，以有涯随无涯，殆矣。”怎么办呢？

据说顾炎武曾有名言“一事不知，儒者之耻”，反映了他好学的精神，然而他并不是漫无目的去求知，像书蠹虫那样死啃书籍，贪多嚼不烂。他曾写过一篇《广师》，指出自己学问有不及友朋之处，需要与益友切磋砥砺，以增

长见闻："学究天人，确乎不拔，吾不如王寅旭；读书为己，探赜洞微，吾不如杨雪臣；独精三礼，卓然经师，吾不如张稷若；萧然物外，自得天机，吾不如傅青主；坚苦力学，无师而成，吾不如李中孚；险阻备尝，与时屈伸，吾不如路安卿；博闻强记，群书之府，吾不如吴志伊；文章尔雅，宅心和厚，吾不如朱锡鬯；好学不倦，笃于朋友，吾不如王山史；精心六书，信而好古，吾不如张力臣。"也就是说，以一人之力，不可能穷尽天下之学问，何况《礼记·学记》早就说过"独学而无友，则孤陋而寡闻"。每个人的性向与兴趣都有独特之处，顺应自己的个性，追求适合自己的学问，就能在不同的知识领域有长足的发展，超越群伦，有所建树。

读书求学的过程中，能够遇到良师益友，"奇文共欣赏，疑义相与析"，实在是人生之大幸。我高中决定报考文科，进大学研习文学，是因为我在青年成长阶段结交了一批爱好文学的朋友，接触到文学对生命意义的思考，触动了我青春的稚嫩心灵，日积月累，终于决定以写作为终身职志。或许

这只是文艺青年涉世未深，不懂世事艰难的冲动，遭到父亲的强烈反对，警告我诗人历来半生蹉跎，一事无成，还是攻读理工是实际的谋生之道。我天生个性倔强，又值青年叛逆的成长阶段，执意要研读西洋文学，与父亲约法三章：考不上台大文学院，就不读大学，自谋生路当工人去；上大学不用家中一文钱，自筹学费；我的人生自己规划，不需要父亲为我操劳。回想起来，年轻时候的叛逆顶撞确实任性，一定伤了父亲的权威与尊严，违背了传统“孝者顺也”的标准，而没被赶出家门，倒显示了父母的睿智与爱心。一方面是他们宽容大度，另方面也反映了时代变化影响了他们的思想观念，可以勉强接受儿女自主的决定，不再认为那是大逆不道的忤逆行为。准备高考的高三时期，我有幸得遇两位名师，国文老师祝茂如先生与英文老师周复先生，两位老师都认为我在语文方面有特殊天赋，指点我阅读中外名著，鼓励我创作诗文，为我奠下了坚实的文史基础，让我进入台大外文系之后游刃有余，除了旁听叶嘉莹老师的古典诗词，还同时兼修了历史系的课程，拓展了我的视野与兴趣。

回顾我在大学四年的求学经历，主要是广泛阅读一切领域的知识，和志趣相投的同学读书论学。对本科的无聊课程，能逃课就逃课，到处旁听各个院系的课程，除了医学院、工学院及商学院没去过，其他如理学院、法学院、农学院大概都有过我的踪影。大多数是听了一堂就再也不去，却也有持续一整个学期的，如森林环境、造园学、酒类酿造等课程。研读中外文学、哲学、史学之外，还担任两种校刊的文艺编辑，参与当时在台湾风起云涌的现代诗运动。创作现代诗，使我特别关注从古典诗词到现代白话诗的文字转型，执迷于中国文字的结体与意涵，对每一个字含意的来龙去脉与可能衍生的现代语意，发生了浓厚的兴趣。虽然始终不喜欢传统的文字训诂与音韵学，感到枯燥无味，缺乏学问新知所能提供的无限惊喜，觉得那是一种对传统骸骨的迷恋，无助于勃发现代文化的生机，但是，我毕竟还是相信传统朴学最关键的一个道理：读书必先认字。或许从小对顾炎武的崇敬，一直在潜意识中引导我的思维，使我在追求现代性文化的过程中，从来不曾加入一些思想激进的同学行列，大言不惭，随意套用黑格尔的话语，声言已经扬弃了中国传统文化。

真正下决心研究学问，走上学术的道路，是在大学摸索了三年之后的事。这过程也是追寻自己兴趣的历程，可说经过了“转益多师”的磨砺，像古代学佛的僧人，走访名山大川，希望能够遇到点传开悟的禅师。在外文系对我多所启发的有朱立民、余光中、王文兴，指导我研读美国文学、英诗与二十世纪英美小说。我也曾研习当时流行的“新批评”理论与实践，探究文本的结构与意象象征，多少有点像搬弄概念游戏，令我质疑文学研究的意义，而决定改变专业，以历史文化研究为追索的方向。在中文系听过《诗经》《尚书》，对我影响最大的却是叶嘉莹老师，或许是因为古典诗词完全符合我的脾性，但更因为叶老师讲课的无穷魅力，让我觉得诗词展现的审美意境，是文化追求的最高境界。历史系的课程最终开启了我学术研究的方向，得要感谢李济与许倬云两位老师，让我对考古人类学发生了兴趣，也对历史研究要结合文献与出土文物的二重研究法有了初步的认识。

二

十年前我和一群钻研中日文化交流的朋友，成立了“东亚文化交涉学会”（Society for Cultural Interaction of East Asia），推展东亚地区历史文化交互影响的研究，特别关注十六世纪早期全球化以来，东亚文化交流的内容开始错综复杂，掺入了西方因素，成了现代东亚文明步入全球化，却又各具特色的历史文化现象。在北京举办第九届年会之际，学会希望出版一份年会场刊，邀请我谈谈自己的学术道路，发给我一份详细的问卷。我从问卷提出的议题中，发现学界对我多元多样的研究面向十分好奇，隐约感到其中有一种内在联系，希望我能从跨学科方法论的角度，探讨我的治学方向。

这份问卷相当有趣，虽然涵盖的只是我在近十几年出版著作中的研究课题，却也反映了现代学术专业化之后学术同行的困惑，认为我研究的课题各有其专精的范畴，却又像下跳棋那样，从这个领域跳到那个领域。表面上似乎毫不相干的学术课题，为什么会吸引我去研究呢？我且把问卷列在下面，再做些回应：

一、您的研究涉及了明代戏曲、茶、陶瓷、电影，乃至非物质文化的口传心授等诸多问题，这些研究在题材、时间、领域上都是具有一定的跨越性。请问这些研究之间是否具有某些内在的关联或者一致性？您这种“跳跃式”的研究背后，除了“有意思”之外，更深层的动机和思考是什么呢？进而言之，是否有一条或几条问题意识的红线始终贯穿在您以往的学术研究当中？

二、您独辟蹊径地选取汤显祖，作为进入晚明文化的通道，是如何从“文化美学”这个“方法论”上展开阐释的，能简单地介绍一下吗？

三、我们知道近代以来中国遭遇了“三千年未有之大变局”，您认为作为士大夫的汤显祖和他的戏曲创作，乃至实存的人生经验，给今天的人们提供的有意义的启示都有哪些？

四、如何运用现代以来的学术方法和理论，挖掘、整理、重构中国传统的历史和文化因素，您的研究展示出一种高超的“道”“器”结合的典范——在深刻理性的同时，呈现出强烈的文人气质，且行文颇具文学性，对此您可否谈谈您的心得？尤其是对于文史领域的青年学者如何展开研究、著文，请您从自身的研究出发谈一下您的经验和瞩望？

五、东亚文化交涉学会自成立至今，您曾担任第五届会长，今年年会的主题是“全球史观与东亚的知识迁移”，请您对此谈谈您的认识和感想？

说到我的学术研究，一般人会从我二十年来出版的著作来考虑，就是汤显祖研究、明代戏曲研究、茶文化、陶瓷下西洋、电影的人文精神、非物质文化遗产、经典翻译等等，有的是思想史与文化史研究，有的属于文学与艺术史，有的是电影评论与理论，有的是非物质文化遗产，有的是跨文化的翻译学，时代跨度很大，学术分科的领域相当不同，有些似乎是风马牛不相及。其实，表面上的“跳跃性”，内里是有其相关的逻辑，有一条我个人问学道路的逻辑，要从我开始从事学术研究的脉络说起。

认真说起来，我从事学术研究，并不是想当一名学者，而是要解决我内心的知识困惑，要回答心底难以遏抑的求知欲望，想要理解人类文明发展的走向，知道我活着到底有什么存在意义。我对人类文明有既定的假设，认定了个人生命意义与历史文化有关，在相当程度上，呼应张载的四句教：“为天地立心，为生民立命，为往圣继绝学，为万世开太平。”虽然并不完全赞同他那种圣者居高临下的姿态。假如人类生命的意义与历史文化有关，到底是怎么个有关法？假如我生活在二十一世纪物欲横行的时代，既不想当政治领袖，又不相信哲学家可以解决人类文明前途的困境，我可以做什么？

我的诸多兴趣，是怎么来的？是天生性格的潜在DNA就已经决定，还是后天文化熏陶所致？又是在什么样的历史环境中诱发出来？与相类似的别人有什么不同？对兴趣的追求，应该是“为己之学”，为什么会有社会意义？为什么会引发别人的注意，甚至要我述说学术追求的心路历程？我读书思考，经常会从古人的生命处境中得到似曾相识的（deja vu）感悟，还会从脑海深处，下意识地跳出“无可奈何花落去，似曾相识燕归来”的诗句，引出充满诗意的联想。读黑格尔与马克思的哲学论述，有时也会联系到中国经典的哲思，甚至有点不可思议的是，会联想到晋唐书法的遒劲开张。这种天马行空式的思维转换，并非有意为之，而是自然天成的涌现，好像阳明学说强调的“活泼泼地”，总不可能完全是“良知本能”吧？其中一定牵扯了我自己的生命历程，以及成长过程中浸润的文化影响。

三

我虽然在青岛出生，却在台湾长大，从小就对中国近代历史文化的理解充满了怀疑与好奇，对中共的崛起及国民政府退居台湾一隅感到费解，对台湾从二十世纪五十年代到六十年代（也就是我成长的时期）的反共教育与禁书政策极为反感。我喜欢古典文学，同时热爱文艺创作，听长辈说起五四以后的新文学及电影，心向往之，却因左翼文艺是共产党的同路，在台湾一概全禁，不能看鲁迅、茅盾、老舍、巴金、沈从文等，不知道曹禺、艾青、穆旦，只能读朱自清、徐志摩、梁实秋，感到一种茫然的挫折与气闷，觉得生命只是社会牢笼的囚禁。当时我热衷现代诗写作，并参与现代实验剧场的活动，追随台湾现代派的“横的移植”文艺潮流，沉浸于法国存在主义哲学，以抗拒国民党提倡的反共文学。所以，当我选择大学读文学专业，考的是台湾大学外文系，研读西方文学，学了一套当时流行的“新批评”文本细读分析方法。因此，对文本的字斟句酌成了我的基本训练，但却对文学研究不理会历史文化背景与思维语境感到不满，转而研习历史学，印象最深刻的是研习上古史，受到李济与许倬云两位老师的启迪，思考非文献的考古资料如何展现历史生活的实况，拟想物质生活与精神文明发展的关系。回顾我大学的求学经验，对学问的兴趣，只是个人生命意义的追求，是要了解：社会的生态变化如何影响了文化思想与文艺创作，艺术审美与历史文化变迁到底对我有什么意义，又展现了什么样的文明进程。更进一步想理解，文学与艺术的杰作为何可以超越时代的限制，成为后世崇尚的不朽著作，为人类文明作出重大贡献。

我一九七〇年负笈美国，师从夏威夷大学研究中国近代思想史的郭颖颐教授，攻读历史学硕士学位，研究从晚清到民国时期的思想文化变迁，特别关注文学与社会变化的互动关系。在一九七〇年至一九七二年期间，为了满足被长期剥夺的阅读自由，几乎夜以继日，孜孜不倦，遍读美国各地图书馆能找到的五四以来的新文学材料，开始了海阔天空、不受羁绊的知识追求道路。在毫无功利的泛读过程中，我觉得周作人对晚明文学的崇尚，涉及晚明时期出现个人主体觉醒的集体意识，是中国文化转型的前兆，也就开始思考晚明文化的世界史意义。一九七二年我进入耶鲁大学攻读历史学博士学位，受到法国年鉴学派与布罗代尔研究十六世纪环地中海区的影响，兴趣转为探索晚明以来中国文化与思维的历史波折，思考早期全球化过程中世界历史重心转移到西方的变化。先是研究李贽与泉州海外贸易的历史背景，后来又研究汤显祖与晚明戏曲发展的关系，希望联系起商品经济发展、个人主体思维探索、文艺创作创新、戏剧演艺跨越不同社会阶层等课题，想借着具体的历史案例，探讨文艺审美风尚发展的文化意义。

在耶鲁大学期间，我跟随鲍默（Franklin L. Baumer）教授，认真研究十六世纪以来的西方思想史，想弄清楚文艺复兴以来西方思潮的脉络，特别关注马克思主义美学理论的现代发展，专注于卢卡奇与布莱希特对古典主义与现代主义的理论冲突，希望藉此建立一个比较文化的参照系，深入理解中国近代文化转型的结构性意义。由此接触了新马克思主义对异化与人道精神的探索，翻转了马列教条式的“经济基础决定上层建筑”观点。又因经常受到导师史景迁（Jonathan Spence）与余英时两位先生的耳提面命，开始细致考察不同历史阶段各种社会阶层的生活经历，进而思考历史浪潮中每一个具体个人的生命意义，不再以概念化的分析手段去研究历史，而是设身处地，去理解历史人物的真实生命历程。

一九七六年我第一次探访中国大陆，想亲炙我出生及研究的神州大地，居然被台湾政府视为左派异端，吊销了我的护照，使我在美国流亡二十年，直到一九九〇年底才能回台探望父母。二十年流亡的生活经历，让我深刻体会，身为中国人，要随时提防政治迫害无孔不入的霜刀冰剑，也明白了明遗民在流离困顿之中坚持的精神支柱与追求，相信只有通过个人不懈的努力，让文化种子得以妥善保存，让优秀的艺术传统得以持续，才能发挥自己生命的意义。顾炎武的生命历程，先是直接参加抗清活动，后来为了延续文化传统的元气，转为毕生从事学术研究，对我有了崭新的启发意义。王勃《滕王阁序》有句："老当益壮，宁移白首之心？穷且益坚，不坠青云之志。"讲的也是这个意思。从一九八〇年开始，我穿梭于哈佛、耶鲁、哥伦比亚、普林斯顿之间，联系各校师友，参与香港出版的《抖擞学刊》，之后更创办《九州学刊》，鼓励美国华裔学者以中文发表学术观点，整合美国的汉学研究。我生活在人文荟萃的纽约，除了在大学讲授中国文化史，研究汤显祖、晚明文化与戏曲，日常接触的是西方歌剧与各类艺术表演，同时也接触到一批修复的二十世纪三四十年代的中国老电影，又对港台及大陆的“新浪潮”电影发生兴趣，也就很自然地写起电影评论，研究中国电影的历史文化背景与人文精神。

台湾结束戒严之后，一九九一年春季我回母校台大讲授“明代文化意识史”，综合探讨明代三百年社会经济与文化意识演变的关系，全面融入一切明清文献（包括戏曲小说）与书画园林实物遗存，探索明代的生活环境与精神心态。同时也开始研究茶文化自唐宋以来的历史转折，企图厘清茶道的传承，分析茶饮的物质性习俗与精神性礼仪的关系，并由此对陶瓷茶具的物质文化与审美品位发生兴趣。一九九八年我来到香港创办城市大学中国文化中心，规划中国文化教学的新方案，策划全方位的中国文化讲座，同时自己投入茶文化、陶瓷下西洋、昆曲传承等大型研究项目，结合了文化意识史与物质文明史的研究。当今学术研究出现专业范畴过于单向钻研的偏差，使得不少学者呼吁“跨学科”

(interdisciplinary）的研究法，其实与古人强调的“文史不分家”有异曲同工之处。我认为，中国传统的人文教育值得借鉴，必须文史哲兼通，结合现代西方的实证主义探索方法，才能高屋建瓴，达到跨学科研究的理想成果。

我的问学之道是曲折的，一开始并没有清楚的问题意识，只是顺着自己的强烈求知欲望，不断追求与探索引人入胜的知识领域。人生道路不可能规划清楚，更难以避免无妄之灾带来的挫折与困顿，因此，我遭遇的颠沛流离不应该是年轻人学习的样板，也不可能作为榜样来复制。我只是坚持“天生我材必有用”，从未放弃理想与学习，相信“为己之学”，居然因缘际会，一生得到无数师友的提携，走到今天。我探索表面上完全不同的学术领域，一方面是因为自己兴趣广泛，另一方面则是隐约感到不同领域的学问，都是息息相关的，都涉及审美追求对文明发展的意义。汤显祖成长的晚明社会，文化人都有澄清天下的道德期许，然而官场现实的利欲熏心与蝇营狗苟，很容易就让人腐化，迫使汤显祖做出坚守节操的选择，开创文学戏曲的新天地。汤显祖的现代启示，和陶渊明与苏东坡的选择类似，面对自己的人生选择，是道德节操的决定，也是自己人格塑造的审美追求，与人类追求美好的理想是分不开的。中国文化在精神与物质领域的审美追求，如何在历史发展中具体展现，以及个人创造的“文化美学”贡献又如何启迪后世，是我一贯关心的问题，或许也就是串起我跨越文学、哲学、历史、艺术不同领域的“一条红线”。

我一九七四年开始研究汤显祖，或许是个“历史的偶然”，然而，四十年来我一直研究他展现的文化意义，并由此延伸出历代审美追求的课题，却是我从未间断的“为己之学”选择。我从汤显祖身上看到了中国文化的耿介高洁，从他的人生挫折学到了如何坚守文化与道德理念，从他的生花妙笔看到文人可以“立言”，可以为文化与艺术创造光辉灿烂的风景。赞颂汤显祖不畏强权、独立自主的伟大人格，是我的历史体会，也是从未动摇的文化信念。我皓首穷经，却关心人类文明的发展，希望人们浸润美好的生活环境与人生体验，学习传统中追求优美的品质，提高人们的审美品位，祛除利欲熏心的贪婪想念，让社会不再沉沦。中国文化经历了近代的天崩地解，面临信念丧失的危机，必须从历史文化的研究中重新体会古人也曾面临的危机与挑战，建立自己的独立人格与自信，才能无负于传统留给我们的文明精华。

我一直探索的近代历史进程，是从十六、十七世纪早期全球化到二十世纪的全面全球化。这个历史阶段，涉及全球经济的变化，影响东亚思想文化与物质文明的流动，更促成西方政经军事与文化霸权的兴起，统治世界达两个世纪之久，可以从各个不同角度探索其冲击东亚文明的意义。俗语说，众人拾柴火焰高，学问研究也是如此。这四百年来的世界史，因东亚文化传统转型的动荡波折，出现人类文明发展中令人瞩目的契机，是需要我们努力思考与发掘的。

四

感谢上海新华发行集团与文汇出版社，特别是《书城》杂志执行主编顾红梅女士，敦促我把近十几年所写的随笔札记与序跋文字结集成书。这些文章有长有短，大多数是读书思考的心得，也有四方游历的记录，都是我生命历程的展现，有感而发，没有徒托空言的应酬文字。也要在此感谢董桥兄邀约我为他主编的星期日《名采副刊》撰文，才有书中许多关于历史人物的篇章。至于大量的序跋，则是我在负责香港城市大学中国文化中心期间，为策划各类研究丛刊以及艺术展览图录所写，反映了我规划中国文化教学架构的想法，致力于提升大学生的文化修养与艺术品位。

这套书的资料收集整理，颇费了一番心思，迁延逾年，得感谢《书城》编辑部同仁的耐心，不厌其烦为我编排设计，以期呈现比较完整的面貌。其中《多元文化与审美情趣》，涉及茶道、昆曲、园林与人文风景的文化审美追求；《历史人物与文化变迁》，反思历史人物的具体历史处境，希望藉此探讨文化变迁展现的历史意义转变；《文化审美与艺术鉴赏》，则从具体评论学术著作与艺术展览，反映了我个人对学术文化及艺术实践的观察与期望。

至于我自题的总名"赏心乐事谁家院"，当然是取自汤显祖《牡丹亭·惊梦》中杜丽娘小姐唱的"皂罗袍"一曲：

“原来姹紫嫣红开遍，似这般都付与断井颓垣。良辰美景奈何天，赏心乐事谁家院。”汤显祖和莎士比亚一样，都是善于转化古人名句的天才，经常扭转陈词滥调为锦绣文章。“良辰美景”“赏心乐事”是古人已经用滥的词语，但是经过汤显祖生花妙笔一挥，多了“奈何天”与“谁家院”，就出现了幽深无限的曲折变化，点铁成金，气象万千。《滕王阁序》中，有“四美具，二难并”的句子，“四美”指的是良辰、美景、赏心、乐事；“二难”指贤主、嘉宾难得。典故来自谢灵运《拟魏太子邺中集诗序》：“天下良辰、美景、赏心、乐事，四者难并。”王勃用典的方式很灵活，借用谢灵运的文章，把难并的“四美”拆开来，说“四美”都已具备，又说贤主、嘉宾都已莅临，“二难”并在。本来是四美难并，经王勃一扭，成了四美俱在；汤显祖再做了一番文字扭转，就刻画入微，点出了杜丽娘生命的困惑，青春美丽易逝，不知芳华沦落谁家。

我借用“赏心乐事谁家院”作为书名，另有典故，灵感来自周作人的散文集《自己的园地》，可算是敝帚自珍，在自家后院耕耘文字，自得其乐。文章千古事，得失寸心知。

一位才华洋溢的文人学者

李孝悌

我在二十世纪八十年代后半期，在哈佛校园一带常常看到郑培凯教授，但并不熟识。其后每年耶诞前，都会收到他的贺卡，用自己的书法写自己创作的诗。虽然他用的笔名程步奎看起来像是一位老先生，但每次收到卡片，都对他的诗作和书法钦羡之至，因为两者都是我无力为之的。

二〇一〇年秋天，我应邀来中国文化中心访问授课三个月。此后，又在二〇一三年接下他努力经营十五年的中国文化中心，才慢慢开始对他在各方面的才华，有了较全面、深入的了解。我由于研究兴趣的关系，很早就读过他的学术专著《汤显祖与晚明文化》，受益良多。一直到自己接掌中国文化中心，才知道培凯兄不仅在学术专业上，对汤显祖的剧作、交游、诗文有全面的掌握，是这位伟大的剧作家谢世四百年后，最佳的知音；更在香港这个高度商业化的社会，致力于昆曲的提倡、普及。经由每年一度在中国文化中心的公演和各种讲座，让昆曲在香港生根、发芽，培养了大批的昆曲爱好者。所以无论是从学术还是赏析角度看，培凯兄对昆曲的贡献，都足以传世。

除了汤显祖和昆曲，培凯对明清，特别是晚明文化和文人的了解、掌握，也是既深入又精到。除了是一位受过西方最优良专业训练的学者，他自身根本就是晚明文人的再现。对茶道、美食、书法、园林、戏曲，都有精湛的造诣。

培凯兄除了渊博的学识，惊人的记忆力，还有用之不竭的精力。散文／文学作品，一本接一本的出，让人目不暇给。乍看之下，这些著作都是一流的散文随笔，但无处不显示作者深厚的文史素养。

《金瓶梅词话》一书，反映了晚明日常的诸般面相。作为晚明日常生活研究的前驱者，培凯兄对《金瓶梅》一书的掌握自不在话下。他对《金瓶梅词话》中的酒色财气有精辟的诠释，曾经据此写过明人的饮茶文化、饮酒风尚，兼及“坐马桶”问题。直到一九八三年，和美国学者一场有关《金瓶梅》作者问题的辩论，兴趣顿消为止。

在前几年结集出版的《茶余酒后金瓶梅》一书中，他如此写道：

> 读《金瓶梅词话》，本来只是丰富我对晚明生活的认识，因为此书不厌其详，记述了晚明生活的全相，包括吃喝玩乐细节。书中对饮食男女的各个方面充满了兴趣，写得热情洋溢，甚至可说是全情投入，简直到了“穷凶极恶”的地步。
>
> 要了解晚明生活，这本书就是活脱脱的生活百科，巨细靡遗，算是另类的社会生活史料。我读《金瓶梅词话》，从中掌握了许多晚明生活细节，得益甚多，就跟读《明史记事本末》一样，读得兴味盎然。

短短几行文字，不但活生生地点出了全书的精神，也透露出作者文史双修的毕生志业和功力所在。

培凯对中国茶文化的鉴赏和研究，享誉学界和文坛。我虽然也对晚明士大夫/文人的文化、生活有所涉猎，但一直到读了他此书中有关明代饮茶文化的研究，才知道我所熟知的晚明文人张岱那种精致到颓废的饮茶方式，原来只是江南士大夫雅致文化的反映，对一般民众，特别是北方民众的饮茶方式，却是一无所知。培凯在此文中，详列了西门庆和其周边人物的饮茶方式，包括胡桃松子泡茶、梅桂泼卤瓜仁泡茶、盐笋芝麻木樨泡茶、熏豆子撒的茶、瓜仁栗丝盐笋芝麻玫瑰香茶等等，甜咸不拘，名目之多，较之晚近从台湾流行到中国大陆的泡沫红茶，犹胜一筹。

二〇一三年出版的《行脚八方》，是培凯多年来行走纽约、大阪、香港和大陆各地的游记。这些游记的特色，一方面反映了他的文化积蕴，另一个特色，则是美食家郑培凯教授的地方美食品评录，有兴趣的读者，当然可以把这本书当作一本八方美食、文化的导游书。

因为研究相关的缘故，杭州行脚一文中，关于“云栖大和尚”的记叙，也让我留下深刻的印象。云栖袾宏是晚明四大高僧之一，人称莲池大师，是净土宗的代表人物，我原本不知道他是杭州人，出家前结过两次婚。袾宏出家为僧后，妻子也跟着出家做了尼姑，袾宏为此还写过一首“一笔勾”，把世间情爱一笔勾销。

培凯的散文，往往如是，在文学之外，处处弥漫着文化气息。

目录

《中国文化导读》前言

中国文化的发展，历时长远，累积了千百代人创造的富赡资源，是人类文明极其宝贵的遗产。然而，正因其富赡深邃，正因其包罗万有，正因其累积了亿万人群在悠久历史中创造的文化资源，千头万绪，缤纷多彩，也就难以在短时间内一窥堂奥，难以轻松不费力气而掌握其底蕴及脉络。现代的青年人，生活在讲求功利实效的社会，习惯了立竿见影的学习方式，以知识为商品，一切都想速成，就会感到学习中国文化“没有用”“不实际”“与生活脱节”“事倍功半”。而没想到文化的修养及熏陶，和股票投机迥然不同。是与每一个人的生活息息相关，更与个人的人格成长及一生事业成就有关，是“最有用”“最实际”的“长期投资”，绝不可以等闲对待的。

年轻人不愿意修习传统中国文化，是因为年轻，涉世未深，想得不够长远。还无法体会，人生充满了复杂的转折变化，并不能以单一的专业知识来应付。他们经常抱怨，从小到大，总是被迫学习枯燥的中国历史、地理、语文，感到与现实生活无关，是些不痛不痒的老古董知识，甚至是一堆理不清的断烂朝报。而讲受传习的方式更是令人厌恶，以背诵人名、地名、年代、年号为主，既无趣味，又无意义。

年轻人的抱怨，未免有失偏颇，但从传承中国文化的教学角度来看，这些抱怨却应当是教师发聩振聋的警钟。中国文化的教学模式与教材的编写，假如还是抱残守缺，以泥古守旧为捍卫传统，以脱离现实为追求真知，而不能改弦更张，则会加深青年一代对传统的敌视，甚至于尚未得窥门墙(不要说登堂入室了)，就已弃之如敝屣，一心向往“星空是多么希腊”了。

香港城市大学为了提高青年学子的人文素养，同时增强学生对自身文化传统的认知与体会，在张信刚校长的策划与推动下，创设了中国文化科目，规定全校同学必修六个学分的中国文化课程，才有大学毕业资格。张校长更集思广益，汇合了海内外的学术菁英，一同规划了专题，作为修习中国文化的探讨范畴。本书的撰写，就是按照专题的设计，邀请北京大学及港、台的专家学者，以深入浅出的方式，分别撰写专章，论述中国文化的各个侧面，作为同学修习中国文化课程的基本读物。如此的编排，打破了过去按朝代或年代堆砌资料的框架，对浩如烟海的材料作了别择，有取有舍，有详有略。

从体例编纂来说，本书首尾完备，对专题提供扼要的论述，使读者对中国文化得到精简的认识，是完全可以独立存在的。但是，本书的设计与呈现，还有更进一步的构想，则是配合香港城市大学中国文化中心网络教学的整体规划，是创新的互动教学法的一环。

一本书的成形，并不单是白纸上印上黑字，不止是把知识转换成可以卖钱的商品。本书从策划到试用本的出现，经历了两年时间；从第一版试用本到这一版，又经历了三年的光阴，其间出版过第一版的正式本、第一版的修订本、第二版的试用本，到现在终于完成了整体增订的计划。这里凝聚了多少人的血汗与心力、多少生活的宝贵时光。我不但要在这里感谢所有的作者与主编，还要特别表扬中国文化中心全体同仁的群策群力，才有今天的收获。同时我也想告诉青年学子，这本书的撰著，见证了许多人对中国文化的挚爱，对文化传承的投入。请大家阅读本书时，想想这句俗话，“前人种树，后人乘凉”，要感激为我们种树的人。心存感激之时，读这本书，就会感到亲切，就会更加珍惜自己的文化传统。

中国文化的启示

请告诉我谁是中国人，
启示我，如何把记忆抱紧；
请告诉我这民族的伟大，
轻轻的告诉我，不要喧哗。

——闻一多《祈祷》

这是闻一多早年诗作《祈祷》中的名句，展示了作为一个现代中国人所面临的困境。诗人通过自身的感受，以敏锐的艺术直觉，吐露了发自心灵深处的迷惘：现代的中国人，内经动乱与革命的冲击，外有西方强势文化的震撼，和生于斯长于斯的中国文化，不再相濡相生，与传统发生了断裂与离异。

谁是中国人呢？流着祖宗遗下来的血液，就是中国人吗？丧失了文化传统的记忆，还算不算中国人呢？大声喧哗，挥舞着大刀长矛，就能造就出不卑不亢的中国人吗？怎么样才能重拾文化的记忆？怎么样才能抱紧记忆中的辉煌与伟大？怎样才能从伟大的过去吸取养料，创造光辉的未来？

我们创设中国文化科目，不拟大声疾呼，只想轻轻告诉大家：中国的传统不但有灿烂辉煌的往昔，有秦时明月汉时关，唐太宗的旌旗，成吉思汗的大纛，还有对自然的观照，看到池塘生春草，细雨鱼儿出，落霞孤鹜，秋水长天，古道西风瘦马，杏花春雨江南。更有对人生处境的深刻体会，知道上善若水，否极泰来，人有悲欢离合，月有阴晴圆缺，塞翁失马，焉知非福，亡羊补牢犹未为晚。也懂得旖旎缠绵的情景，春蚕到死丝方尽，蜡炬成灰泪始干，落红不是无情物，化作春泥更护花。

如何把记忆抱紧？如何把记忆内化，转为创造未来的资源与力量？这就是有待我们共同的努力，通过学习，理解与珍惜，成为塑造自我人格的养分。孔子说过："知之者不如好之者，好之者不如乐之者。"当学习到了乐此不疲的地步，文化传统也就与自我成为一体，不可分割了。

那时，我们就不必担心"闻道有先后，术业有专攻"是否有现代处境的矛盾。那时我们就可告慰九泉之下的闻一多先生，我们无愧于历史传统，无惧于未来挑战，我们是堂堂正正的中国人。

文化超现代

我在香港电台普通话台主持了一个节目，取名“文化超现代”，主要是访问文、史、哲、艺术各个不同领域的专家学者，以及表演艺术家，通过访谈与讨论，对中国当前文化与艺术的探索，做些深入浅出的呈现。为什么节目取名“文化超现代”呢？曾有不少人问：“超现代”是不是“后现代”呢？我可以简单回答，不是。“超现代”是有超越现代之意，是为了超越“传统”“现代”这种简单的二分法，而非加入以文化批判理论为依据的“后现代”阵营。

大约在四十年前（二十世纪六十年代），我还是一个中学生的时候，在台湾出现了一场文化论战。在相当程度上，这场论战延续了二十世纪三十年代社会史论战的议题，但因台湾当时还处于戒严时期，所以论战不涉及政治、经济与社会等敏感议题，只集中在文化思想层面。我还记得，那一代对文化思想有兴趣的年轻人以为《文星杂志》提倡自由主义与全盘西化，形成了一个“西化即现代化”的阵营，另一方则高举传统文化的大旗，附和“复兴中华文化”政策。在我们的心目中，官方提倡传统意识形态，只顾压制与禁锢，让人没有自由，喘不过气来。因此，对于代表“现代化”的西化派，充满了好感；对现代化已充分发展的欧美，充满了向往。回顾四十年前台湾的认知环境，整个文化氛围是锢闭、黑白对立、非此即彼的二元化抗争情况。固然是由于自己年轻，思维方式过于简单化，但环境的压迫感也逼着年轻人采取简单化的二分法，以求出路。一方面是西方文化的现代化、民主、自由、富强、繁荣，另一方面则是传统文化的落后、封闭、独裁、压迫、贫穷、困苦。很自然的，我也和大多数朋友一样，向往着欧美，鼓吹“现代化”。

不过，我们当时对“西化即现代化”的论点、对“全盘西化”的口号，却有些保留。我虽然还没学过逻辑，但却知道有“目的”与“手段”之分，有“目标”与“策略”之别。向往西方、提倡现代化的目的，不是要使中国人变成“黄皮白心”的香蕉型中国人，只知西方文化，抛弃自己的文化认同。学习西方，提倡现代化，是为了让新一代的中国人生活得自由、民主、美好、幸福，不要再做悲愤的中国人，要做快乐的中国人。这样的想法虽然幼稚，过了四十年回头看看，却也没错。

在文化论战的当时，有一位胡秋原提出一条出路：“超越传统、俄化、西化，而前进。”对胡秋原的口号及论点，我们觉得虽然有点道理，但没有具体的实行方案，在“策略”上不可行，因此是空话。就像我们当时读吴稚晖的文章，听他说自己是无政府主义者，也提倡无政府主义理想，但实行却要在三千年以后，只好以吴老先生常用的“质俚”语言回应：“放屁。”

然而，历史的确充满了反讽。才不过四十年，台湾与香港的历史处境却是已经现代化了。文化人大声疾呼的，早已不是传统与现代的对立，而是如何以“后现代”“后殖民”来颠覆“现代”了。胡秋原在四十年前的“空话”，现在却有了实际的历史环境，成为我们必须面对的文化议题。这并不是说，胡秋原在四十年前提出“文化超越论”，真有先知先觉的“历史预见性”，而是历史的具体发展，有时是迅雷不及掩耳，令人措手不及，使我们面对了实际的（而非假想的）文化情况，必须从“策略”上认真思考。真要说什么“先知先觉”，我们就要举四百年前与利玛窦论学的徐光启与李之藻，或者说得近一点，触及现代化西学（虽然并不懂）的张之洞。

其实，只从“目的”或“目标”的文化本体性来探讨，张之洞的“中学为体，西学为用”，才是近一百五十年来，最有真知灼见的文化超越论，是探讨中国文化变迁的方向性纲领。因为其理论关键，就是中西文化一定有冲击与融合，也就有主从之争，“体用”的提出，有助于消弭争端。然而，张之洞因为自己维护传统文化的偏向，面对中西融合时，便采取了“体用”的策略，在本质上作了二分，以体为主，以用为辅，保证中国文化不会堕失，不会“用夷变夏”。不过，历史跟张之洞开了一个大玩笑。到了二十一世纪，他的“体用说”仍是探讨中西文化交流融合的主要架构，但实际运作上，已有不少中国人是在讲“西学为体，中学为用”了。

二十一世纪的中国人，基本已接受中西文化的融合是历史发展的主流，在日常生活上更是“学贯中西”。究竟是“中学为体，西学为用”，还是“西学为体，中学为用”，已不是生死攸关的思考问题。现在的关键问题是，如何才能提高中国人生活环境的文化素质，如何重建中国人对文化及精神领域的兴趣，如何在新一代中国人的心田中种下理想、幸福、博爱的种子，以期发展中国人的精神文化境界。在二十一世纪，在全球已经频繁交流的时代，中国人要创造优质的文化，要向上提升精神境界，不止是为了中国人自己，也是为了全人类。因此，我们不但要学习西方文化，也得审视自己的传统，审视这一批我们最熟悉的文化资源。

我们认为，文化是要有所承袭、有所累积、有所批判、有所创新，才能继续发展，蓬勃光大的。而且历史文化的发展，涉及几千年的创造、亿兆人的心血，不应该用轻蔑的态度来批判。批判是必要的，但要先了解批判的对象。我们请不同领域的专家学者，就是因为他们学有专精，对文化议题的批判与建议都有根有据，不会无的放矢，随意颠覆。

人们都会说，对传统文化要“取其精华，去其糟粕”，对外来文化要采用“拿来主义”的方式。说起来容易，做起来可就不简单了。过去一个多世纪，惨痛的经验还少吗？怎么办？没有什么聪明的好办法，只有个笨办法：过去被蛇咬了，就要弄清楚蛇是什么样的生物？长得什么样？生活形态如何？如何捕捉？捕捉了有什么用？总不能“一朝被蛇咬，十年怕井绳”吧？

《中国文化中心讲座丛书》总序

文化依存于人的生活。当一个民族经历着一百多年的生死挣扎，一心只想着救亡图存，其文化心态当然也就很难平衡，总是大起大落，大取大舍，矫枉过正。到了二十一世纪，大多数人都认识到向西方传统学习的必要，但激进者却一定要喊出“全盘西化”；大多数人都不会反对保存固有文化中的优良传统，但国粹派却一定要提倡“尊孔读经”；大多数人都了解应该汲取多元中外文化传统的滋养，但在文化论坛上却仍能听到“打倒孔家店”“崇洋媚外”“推翻吃人的礼教”“痛打帝国主义的文化走狗”这样的充满激情与暴力的偏执口号，交叉喊话，来回挑衅。

从文化继承与发展的角度来看，近两个世纪的环境不但恶劣，而且充满了摧残生机的陷坑与风暴。在这种文化环境中成长的心灵，也就难免畸形，充满了戾气与不平衡的心态，以为“除旧布新”“破旧立新”可以开创美好的未来。更以口诛笔伐的手段来排除异己，建立舆论权威。不仅一般社会中弥漫着“推倒重来”的文化态度，连学术界的研究也急功近利，甚至配合政治运动，实践“矫枉必须过正”的荒谬理论。当追求知识的人不能与现实利益保持距离，不能以长远的历史文化作为认识的坐标，只幻想着当前的参与和投身，希望通过批判与改造来创造文化，以达成士大夫“先忧后乐”或“知识分子良心”的愿望，他们就忘了人类文明累积的“知识”为什么是宝贵的文化遗产。把文化遗产当作实用工具，企图谋求个人名利，固然是下焉者；企图谋求国族复兴之道，把文化转为政治与经济运作的附庸，也不见得是人类的长远之福。

人类创造文明，追求文化与艺术的发展与提升，使自身的性灵更美好、更高尚，是人异于禽兽、作为万物之灵的展现。每一个文明的高度发展，虽然牵扯各种错综复杂的阶级与人际冲突与斗争，但放在长远的历史脉络中来看，总体的累积却明确显示，人类企图借着文化的创新来追求更美好的生活。中国文化也不例外，累积了五千年以上的经验，其中有成功的愉悦，也有失败的痛苦，有造福人群的绩效，也有残害苍生的教训，是我们走向未来的借鉴，更是我们创造明天最宝贵、最实在的资源。只有充分掌握了自己身边的文化资源，我们才会了解为什么社会的发展要均衡，为什么人际关系要和谐，为什么应该爱好和平、反对战争，为什么追求经济效益时不能唯利是图。

香港城市大学的本科生，在大学三年期间，必须修习六个学分的中国文化课程。我在一九九八年到校创办中国文化中心，制定了课程规划，利用学校良好的信息科技教学条件，发展出一种新的教学模式，以四大块多元方式来教学：一、通过网络教学提供学习材料；二、课堂小班辅导确定学习效果；三、举办专题文化讲座及艺术示范讲座，把著名学者和艺术家“请进来”；四、通过实地文化考察，把学生“带出去”。我们发展出来的教学新模式，不但在中国文化教学上提供了成功的范例，同时也累积了不少学术资源。

从一九九八年迄今，我们已经举办一千多场中国文化专题讲座，反应非常良好，不但学生得益，社会人士也闻风而来，分享学术新知。由于邀请的学者都是鸿学硕儒，讲的是学术研究的前沿，而讲座的形式又要求讲者深入浅出，所以，每一场讲座就成了对学者的挑战。学者必须把毕生研究的精华，以及他自己的研究心得与发现，提要钩玄，以通俗精简的方式，展示给一般程度的大学生，要让他们了解研究专题的学术意义，还要让他们听得懂。这样的讲座，对于一般学生，等于是在夜空中开启了一扇天窗，看到了星辰闪耀的辉煌；对于已经进入学术之门的研究生而言，更是治学的津梁，引导他们走上山顶的天文台，指点天体望远镜的各种用法，观测学术宇宙的奥秘。

我们从一开始，就对所有的学术讲座进行录音录像，存盘使用，以拓展教学领域，累积教学材料。在进行整理的过程中，我们认识到这批资料的宝贵，因为它是大学者为一般人的“现身说法”，是引领青年人进入学术的“方便法门”。正因为我们文化讲座的专题性质，在一般课堂讲课与专业学术演讲之间，讲者的讲法就类似专题“布道”，提供了学术新知的发展脉络，也指出学术研究的探索方向，给听者展现了明白易懂的系统，甚至是各种可能的认知系统。我认为这些讲座数据，可以整理成书，公之于世，作为普及和提高并举的学术读物。于是，我和来校演讲的学者商量之后，请他们拨冗修订讲稿，理顺文词，再就讲题的性质，安排相关的插图，编辑了这一系列的“中国文化讲座”。

这一系列丛书，最先是繁体字排版，由香港城市大学出版社出版。现在得到广西师范大学出版社的支持，我们重新整理丛书材料，以简体字排版，在内地出版发行，把这些学术讲座呈现的睿智机锋，献给更广大的读者群。我们在学校做的工作，讲得伟大一点是弘扬中国文化，讲得实际一点是为了中国文化与学术的未来发展铺砖添瓦，尽一分薄力。能够让一批大学者的讲座，在中国内地广为流传，作为学术的推手，我们感到无限欣慰。

二〇〇八年五月六日

《史迹·文献·历史》序

历史是人类对过去活动、所作所为、所思所想的追索、记录与认知。我们对历史的认知，主要是根据历史文献，然而，历史文献本身有其限制，也就限制了我们历史认知的客观性与整体性。中国古代就对文献的历史客观可靠性提出了怀疑，如孟子读自己相信的儒家经典，发现记载武王伐纣，既是仁义之师，何以“血流漂杵”？不免大启疑惑，发过“尽信书不如无书”的感慨。孟子的疑惑，反映了“历史—历史记忆—历史书写—历史文献—历史认知”一连串知识承载传递的过程，不可避免会掺入记载书写的主观、片面、爱憎倾向，甚至意识形态的偏执。而且，不单单是“历史书写”这一环节，而是在一连串过程中的每一个环节，都可能因为人的参与，产生思想感情的评价倾向，使历史认知的客观性产生干扰。

二十世纪以来，历史学界对历史的客观性作了许多探讨，不再坚信史学研究可以完全客观，不再遵从兰克（Leopold von Ranke，1795–1886）的史学方法，以为原始第一手材料（甚至档案）的纯粹实证研究就能客观反映历史。当今大多数史学家，逐渐跳出“材料客观”的桎梏，对文献中潜藏的阶级压迫、种族偏颇、性别歧视多有批评。他们虽然还力求综合各种面向的材料，考虑到多元观点的可能，企图寻找相对客观的历史面貌，但也逐渐接受了历史书写的不确定性。对过去认为客观可靠的官方历史与文献档案采取了保留态度，质疑历史书写成文献的过程是否涉及了统治阶级的自我美化，是否隐藏了既得利益集团抹杀弱势声音的事实。

传统历史书写的稳定结构受到质疑，自然就会出现各种新的理论与说法，企图重新建构历史书写的方法论，最极端的就是解构主义的怀疑论，怀疑一切客观的可能性。如海登·怀特（Hayden White）在 *Meta-History* 一书中所指出，历史书写与小说虚构在本质上无大差别，其同质性在“书写”，一旦书写，就成了书写者按照作者书写习惯与逻辑来

郭里木吐蕃棺板画墓祭祀神树摹本

运作的活动，基本是个人或一群人的主观思维呈现，何来客观性？然而，过度强调历史书写的主观性，把研究历史与虚构小说等同起来，显然也不合情理，甚至违反普通常识，只能当作史学方法论“矫枉过正”的一种倾向。

现代史学的发展，有几个方面有助于我们跳出传统文献的限制，但又不至于陷入“历史只是主观书写”的不可知

郭里木吐蕃合葬墓发掘现场

论陷阱。一方面是考古文物资料的大量出现，让我们有了许多历史上存在的实物，它们属于不可抹杀的客观证据，但同时也在考验我们解释与论证的思维能力。如本书中霍巍教授的论文，从藏族地区的考古发现，探讨吐蕃时期原始巫术的“天灵盖镇厌”习俗，提出历史文献缺欠的实物证据，是不可否定的客观材料，但如何理解，则成了历史认知的工作。再如林梅村教授对吐蕃大墓出土文物的研究，联系到了吐蕃统治阶级家族生活的情况，也是过去文献不足的。实物的出土发现，就迫使我们不能向壁虚造，不能像书写小说那样虚构故事，而必须进行客观分析与理解。

另一方面，域外材料的大量出现，增补了过去以中国本土为中心的文献之阙失。这些新材料有中文的，也有外文的，关键是在其视角不同，提供了多元观点比较的可能性，而非“公说公有理，婆说婆有理”的主观臆测。本书中的论文有一大部分，都涉及中外文化接触、碰撞与交流。如：葛兆光教授对朝鲜贡使在中国所见所闻所思的记载；李焯然教授对一〇四六年明朝出兵安南事件，中国与越南史家材料书写之比较；吴志良、林发钦、蔡佩玲对澳门材料的发掘与探究，从中外文化交流的角度思考历史记忆与认知；徐新对英国画家钱纳利视角观察下的中国印象；黄贤强对南洋华侨张弼士材料与文物的分析。这些研究与探讨，都能促使我们深一层去思考历史记忆与书写的关系，绝不能像虚构小说那样，也不可能像文学想象那样，海阔天空，任人翱翔。

还有一方面，是历史文化变迁造成我们认知转向，人们开始对过去不注意的材料发生了极大的兴趣，从而突出其意义。克罗齐所说的“一切历史都是近代史”，其实是这个意思，说的是历史事实虽未改变，但其意义因时代变化而转变，史家会因自身的兴趣与自身所处时代的潮流，而重视过去不值一提的情事。本书中熊秉真教授、周振鹤教授、王振忠教授、王瑷玲教授的文章，都能发人深省，让我们思考过去以为微不足道的材料或人际关系，其实大有文章。

本书的各篇论文，都在香港城市大学中国文化中心举办的第三届“新人文连线”研讨会上发表，再经作者修订整理结集。

《依旧悠然见南山》序

香港城市大学创校二十周年的时候，香港城市大学出版社的社长邝子器先生来找我，说想出版一本纪念论文集，请我任主编。为什么找我担任主编呢？我问。望着他热切的目光，我心里想，比我适合的人选还多着呢，譬如邹嘉彦兄就是创校的元老，二十年来经历了栉风沐雨、筚路蓝缕的过程，就比我这来到城大刚届满六年的新丁合适。

邝社长咬字不无夸张地说，你是我的普通话老师，我找老师当主编是尊师重道。打趣了一番，他告诉我，为了庆祝二十周年校庆，想出一本文史论文集：一方面反映城大在文史方面的广度与深度，呈现一所以理工法商为重的大学，也有坚强的人文基础；另一方面则是因应庆祝的场合，出版一本深入浅出、雅俗共赏的纪念文集。以文、史、哲、艺术为主，也可以兼及社会研究。于是，我们便粗略定下了编辑方针：以文史为主，但要涉及新方法论及新的认知思维；要包括语言学，但要兼及历史文化的探究；要有社会研究，但必须探讨港人关心的文化议题。

我承担了主编的任务，便开始联系相熟的同事，劝他们共襄善举。我的要求很简单，只有两条：一是，这本纪念文集是为了庆祝二十周年校庆，因此，论文要流畅易读，以便专业领域之外的一般知识人阅读理解；第二，因为是纪念文集，还请自选一篇最有代表性的文章。每位同事听了，知道不必专门为此论文集写文章，都点头称善，答应挑一篇适当的论文。

之后，困难就来了。挑一篇有分量的学术论文不难，要同时深入浅出、流畅易读，则不是那么容易。学术论文的写作，特别是有创见的著作，都是写给专业圈内的专家看的，遣词用字十分专门化，议题论述的重点也往往非局外人所能了解。因此，同事们为了挑一篇合适的文章，煞费苦心，有人从英文论文译成中文，有人改写旧作，还有人干脆另起炉灶，新写了一篇合适的论文。对大家如此认真从事，我只能表示感激，因为其中反映了每一位作者对香港城市大学的深厚感情。

邝社长与我约定编辑此书不久，再度来找我，说取个书名吧。我说，书名不是“香港城市大学二十周年文史论文集”吗？他说，这书名太死板，没有文艺气息，不能提供美感，而且硬邦邦的，像政府公报或年终总结报告一样，不好。我说，论文有分量，就显示学术成绩了，取个文艺腔的书名，恐怕难副书中内容。他说，你不必用现代的文艺腔，取个典雅的书名，让人感到书中有诗情画意，又有象征意义，那就更好了。

讨论的时候，我正面对着校园的后山，山上林木葱郁，欣欣向荣，我便随口说，“依旧悠然见南山”好不好？邝社长乐得眉开眼笑，连声说好，就这么定了。我说，你这么快就同意了，知道其中的象征意义吗？他连连点头，说知道知道。这座小山本来就叫南山，山后是民居连片的南山邨，山侧是城大的教职员宿舍南山苑，也就是我们生活的场域。“采菊东篱下，悠然见南山”，可以象征学术追求的最高境界，不为名，不为利，不忮不求，但却孜孜不倦，探索疑惑，追求真理。说着说着，我们抚掌大笑，同时说，这座校园内的南山就是香港城市大学的象征，青山不老，永远见证大学追求学术真知的精神。

集体记忆的吊诡
——《文化遗产与集体记忆》序

人类之有别于其他物种，自夸为万物之灵，在相当程度上，是由于人类能够藉助文化工具与载体，一代又一代传承人生经验与发明创造，累积聪明才智，让后人可以吸取精华，创造更先进、更美好的文明。文明累积，靠的是群策群力，承先启后，是尊重前人的努力，期盼后人的承担。

古今中外的有识之士，都特别重视文明的承继与传衍，在创造文明真善美的过程中，表现得十分谦逊。牛顿有句名言，是大家时常征引的："假如我比别人看得更远，那是因为我站在巨人的肩膀上。"（If I have been able to see further, it was only because I stood on the shoulders of giants.）类似的话语，在十二世纪就有索尔兹伯里的约翰（John of Salisbury），说过："我们就像是巨人肩膀上的侏儒，所以我们可以看得更多更远，并不是因为我们视觉敏锐，或是天生异禀；只因为他们巨大的身躯抬高了我们。"更早一些，有唐朝的韩愈，在《与于襄阳书》中说："士之能享大名、显当世者，莫不有先达之士、负天下之望者，为之前焉。士之能垂休光、照后世者，亦莫不有后进之士、负天下之望者，为之后焉。莫为之前，虽美而不彰；莫为之后，虽盛而不传。"明确指出，任何伟大光辉而能传世不朽的成就，都靠的是文明得以传承，通过世世代代的集体记忆，才得以彰显。这种对历代集体创造与记忆的推崇，到了宋代新儒家的心中，就扩大成为超越真理的追求，推展了人类生存的目的，出现"民胞物与"的伟大胸怀，凝聚在张载的四句名言之中："为天地立心，为生民立命，为往圣继绝学，为万世开太平。"

文明的传承需要载体。从人类文明发展的历程来看，过去最重要的文明载体是语言文字，最重视的是文献记载。这也是为什么孔子会说："夏礼，吾能言之，杞不足征也；殷礼，吾能言之，宋不足征也。文献不足故也。足，则吾能征之矣。”过去对文明历程的认识，对知识的传递，对真理的探求，对学术的发展，基本上靠的是前人的文献著作。我们所说的集体记忆，在过去主要是仰仗文字载体，通过前人话语的记述与复诵，让后人形成文化与世界观的共识。然而，单单通过文字载体，文明的传承会出现选择性的偏差（且不说战乱兵燹、焚书坑儒造成的文献丢失与扭曲），这也使孔子感叹“文献不足征”。更因为上层精英掌握文字书写的能力，依靠文献的集体记忆也会倾向于上层精英的共识，出现阶级性的文化倾斜。

我在《口传心授与文化传承》（2006）书中提出，文化传承的载体有三类：一、以文字为载体的文献；二、以文物古迹为载体的实物遗存；三、以口传心授为载体的非实物文化艺术传承。只有扩大眼界，拓展学术认知领域，包含了这三类不同文化载体，我们才能趋近历史文化的真实面貌，深刻了解集体记忆的多重面向。从这个意义而言，文物古迹的保存与研究，是理解人类文明发展的重要方法与手段，也是人类作为“万物之灵”的证据。二十世纪考古学的成就以及文物艺术的研究，使我们清楚理解，我们对人类生活的具体经历知道得不足，过去的历史叙述与集体记忆都存在相当的偏差。

然而，现代社会过度强调进步与发展，以经济为主轴，打着“发展是硬道理”的旗帜，经常以掠夺与破坏文物古迹的方式，兴盖污染环境的工厂、建设高楼大厦的屋邨，有意识地铲除前人留下的古迹，泯灭理解文明发展的实物证据，是可忍孰不可忍？人类的集体记忆，是模糊暧昧而且十分吊诡的文化现象，是随着时代发展而东飘西荡的游魂。没有历史文献为基础，没有文物古迹作为砥柱，集体记忆只能随波逐流，不知所之。因此，研究文物古迹的保存，探讨历史文化与城乡发展的冲突与平衡，不仅是学术的创新领域，也是人类生存意义的自我反省。

通过文物古迹作为文化载体，研究文化遗产与集体记忆的关系，不仅涉及经济发展、政府政策、文化旅游、民众参与等等具体的社会政治运作，更重要的是，如何提升现代民众对历史文化的重视、对人文精神的关怀、对生活环境的爱惜、对人类处境的展望。因此，学者们或有不同的意见，但集思广益，最终能提供仔细调查研究的资料与成果，贡献一些深思熟虑的看法，应当有助于学术研究与文化关怀的深化。文化遗产与集体记忆这个领域，是学术研究的新天地，还有待大家去发掘与拓展。作为序言的结语，让我再引一段牛顿的话，与大家共勉："我不知道别人怎么看我，但我自己觉得，不过就像在海滨玩耍的小孩，不时发现一块更光滑的卵石或更美丽的贝壳，却没注意浩瀚真理的海洋，就在我眼前，有待发现。"

《旧学新知集》序

“旧学商量加邃密，新知培养转深沉”，这副对联是朱熹对学问钻研的看法。香港城市大学中国文化中心门口，作为门楹的替代，就挂着这副对联，是由书画家、大收藏家王季迁亲笔题写的。王先生题写这副对联的时候，已经九十二岁，擘窠大字写得虎虎生风，颇有些颜真卿的底蕴。中国文化中心成立之时，设计了新的办公区，布置得古色古香，先是有了饶宗颐先生题匾，还缺门口的楹联，恰好王季迁先生来港，我便请他惠赐墨宝，以光门面。他很客气，坚持说要依着我的意思写，我说写朱熹的诗句好吗，老先生很高兴，两天后就倩人送来了这副对联。

朱熹这两句诗背后，有个寓意深远的故事，常被儒家学者引述，作为探讨学术的南针。故事讲南宋两位大儒陆九渊

《旧学新知集》
郑培凯　范家伟　主编
广西师范大学出版社 2008 年版

（1139–1193）与朱熹（1130–1200），在淳熙二年（1175）经吕祖谦的安排，共赴江西铅山鹅湖寺论道。陆九渊主张“本心即理”，是心学一派的提倡者；朱熹则强调“格物穷理”，算是理学正宗。两人的思路不同，对儒学证道成圣采取的路径不同，一个说尊德性为先，一个说道问学为上，论辩不休，谁也说服不了谁。到了最后，论辩者各执一词，虽然不至于“鸡同鸭讲”，却造成了思想的对垒，断绝了沟通的渠道。陆九渊当时写了首七律，末尾四句是：“易简功夫终久大，支离事业竟浮沉，欲知自下升高处，真伪先须辨只今。”批评朱熹的研究方法支离破碎，学问追求的方向不明确，随波浮沉，不如先立定学做圣贤的本心，真理在手，是非自明。朱熹是个大学问家，当然不满意只讲“简易功夫”的为学方法，不过当时并未应答。三年之后，朱熹才写了和诗，显然是经过了长期思考，可说是处心积虑之后的回应：“德义风流宿所钦，别离三载更关心。偶扶藜杖出寒谷，又枉蓝舆度远岑。旧学商量加邃密，新知培养转深沉，只愁说到无言处，不信人间有古今。”

朱熹的意思很明确，颈联可以读作“商量旧学加邃密，培养新知转深沉”。坚持自己“道问学”的学术道路，对学术传统要尊重，要仔细商榷，加深研究。还要培养自己的学术胸襟，对新发现的知识要深入探索，开拓新的知识领域。朱熹这两句诗一直受到历代学者的称颂，认为其中包含了学问之道，而且言简意赅，意义深远。

回顾朱熹与陆九渊生活的南宋，学问的正途是义理之学，终极目标是圣贤之道。朱熹和陆九渊的论辩，是“博”与“约”之争，关键在如何达到圣贤之道，是道德哲学与人生意义层次的探究。放到当今，可算是人文社会范畴的讨论，不过其中还涉及做人的道理，却是古今中外每一个人都得思考的问题。到了二十一世纪，学问的领域大为拓展，理、工、法、商、医、农、军事、环保都成了独立的学门，那么，朱熹所说的“旧学”“新知”学问之道，是否还有意义呢？我想，一切有独立思考能力的人都会说，当然有意义，“旧学商量加邃密，新知培养转深沉”，具有知识探求的普遍意义，不止是人文学门的方法论，而且是一切学门进行学术研究的圭臬。

中国文化中心的同仁，在文、史、哲、艺术的学术传统中，各有不同的研究领域，但在研究方法上，都能体会朱熹所说“旧学”与“新知”的融会。在中心创办十周年之际，我们特别选刊了十篇论文，萃聚成册，并借朱熹的诗句为书名，重申我们对文化传统研究的态度。

《风景旧曾谙：叶嘉莹说诗谈词》序

一

白居易曾任杭州刺史，后来又任苏州刺史，对江南美景有过切身的惬意体会。他写过一组《忆江南》词，其中一首说：“江南好，风景旧曾谙。日出江花红胜火，春来江水绿如蓝。能不忆江南？”这是曾经亲眼目睹、亲身经历过江南的良辰美景，对自然环境予人美感从心底生发的感恩之情。虽然只是一种记忆，但是“风景旧曾谙”的鲜丽生动印象，深深刻镂在脑海之中，挥之不去，拂之还来，凝聚成诗句，传之千古，使得江南美景在自然风光之上，增添了几分人文感怀的美感。

诗人留连湖光山色，发之为诗，表面上只是个人美感想象思维的活动，是个体的艺术展现行为。但若放在历史文化累积的过程中，从接受美学的观点来看，这一点一滴的审美经验，凝聚成语言文字的珠玑，就不止是琳琅满目的诗句，不止是平仄对仗的文字功夫，而是整个文化经年累月蕴积的人文传统。任何一个中国人，只要有一点文化修养，想到泰山，即使从未去过，心目中也会浮想联翩，出现丰富的图景以及无数诗句所描绘的气势，如杜甫的"岱宗夫何如？齐鲁青未了……会当凌绝顶，一览众山小"。想到杭州西湖，就会浮现白堤与苏堤，想到白居易的"孤山寺北贾亭西，水面初平云脚低……"和苏东坡的"水光潋滟晴方好，山色空蒙雨亦奇……"诗不止是文字艺术，它是时间淘洗而留存的人文精粹，是集体记忆凝聚出来的钻石一般的瑰宝。

我在一九七八年夏天初次过访杭州，迎着炙热的阳光走过断桥，在孤山的林荫之中徜徉了一阵，怀想着林和靖在此过着梅妻鹤子的清幽日子。然后赁了一叶小舟，登上了湖心亭，想到张岱携友在此赏雪，已是三四百年的往事了。怎么到小瀛洲观赏三潭印月的，已经记不清了，只记得湖中有岛，岛上还有湖，而且开遍了荷花，香气袭人。走在蜿蜒的曲径上，里里外外都是荡漾的绿波，古人的诗句突然全都涌向心头。我站在那里，好像悟了道：风景旧曾谙，风景旧曾谙。这西湖风光，我虽然从未见过，却是熟识的，是在古典诗词中熟识的。

回到美国，恰好在哈佛燕京图书馆见到叶嘉莹老师，和她聊起初见西湖的经验。我说，最奇怪的感觉是，西湖居然真的这么美，就像古人描绘的一样。我原先不抱什么希望的，因为经过了一千多年的观光游览，还不知道被人整治成什么模样呢！叶老师听到此，兴奋得眼神发亮，笑逐颜开，说，正是，正是，我也有同样的感觉。总以为西湖经过现代的开发，变成旅游观光胜地，一定变得俗不可耐了，所以很怕去西湖，怕破坏了心目中美好的想象。谁知道见到的西湖，和心中的想象若合符节，一一印证了古人诗文描摹的美感，真是奇妙。

师徒两人一唱一和，都在叙说西湖的美景如何历千年而不变，让在座的朋友不禁好奇，问说，真没变吗？我们互看一眼，相对大笑，只好说，当然变了，只是变得不过分，让人仍然能够勾起思古之幽情，联想到古典诗词中蕴积的美感经验，印证了诗词作为文化的载体，使我们得以上下古今，遨游在时光的长河里，贯串世世代代累积凝聚的人文感怀。

风景旧曾谙，是我们学习与吟诵古典诗词得来的美好经验。

二

我虽然从小就喜爱古典诗词，没事就抱着一本《唐诗三百首》吟读，但真正进入古典诗词的门槛，得窥宗庙之美、百官之富，还是由于叶嘉莹老师的引导。那是一九六五年的台湾大学，在古旧的文学院大楼的二楼边角，朝着总图书馆边门的二十四号教堂，我旁听了一年叶老师的“诗选”课。印象最深的是她讲《古诗十九首》、讲陶渊明、讲杜甫。她讲课时热情洋溢，神采飞扬，让诗中的每一个字，都随着她清脆悦耳的北京口音，荡漾在教室里，真是余音绕梁，袅袅不绝。

叶老师讲诗，不单是解释字义典故，也不止于介绍学术研究的成果，而是把她对人生的热爱、对生命的讴歌、对生离死别的同情、对豪情壮志的敬佩、对忠义气节的推崇、对淡泊超逸的景仰，藉着诗词的讲解，一一向学生倾诉。她就像古典诗词的灵媒，从“关关雎鸠，在河之洲”，到“我自横刀向天笑，去留肝胆两昆仑”，全都汇聚在她窈窕优雅的身上，通过一言一动，展示了中国诗词丰美多姿的想象世界。我们虽然是坐着听讲，但心灵却都翩飞起舞，随着老师的一颦一笑、或喜或悲，翱翔在中国诗词传统之中，体会了屈原行吟的悲苦，陶渊明采菊东篱的悠然，李白举杯邀月的潇洒，杜甫秋兴的深沉蕴藉，李商隐的恍惚迷离……

听叶老师讲课，成了人生最大的享受。上课铃还未响，我们就早早坐满了教室，晚了一步的同学先是坐在窗框上，再来就只好站在走道上，密密匝匝，一屋子期盼的眼神，等着老师走进课堂。教室中蕴积着热切的向学之心，酝酿着无限扩展的诗的能量，人人聚精会神，等待着，就像京戏迷听《四郎探母》等着“叫小番”，更像歌剧迷听《托斯卡》期待

“为了艺术，为了爱”的唱段。叶老师从来没有让我们失望，每一次讲课都能引导我们进入“灵界”，让我们心灵得以提升。我们都像着了魅，释放了自己青涩的心灵，通过老师的引进介绍，与古人神交，有时还能话话家常，而不感到趑趄不安。一直到下课铃响，只要老师的语音未落，没有人会起身，没有人在乎下一堂课会不会迟到。课室中回旋荡漾的能量，似乎想要延续与扩展每一分每一秒的长度，而师生都特别珍惜这最后延长的分分秒秒，直到下一堂课的同学挤在门口，实在不能再拖了，老师才几度挣扎，脱出诗词的迷魅世界，说下次再接着讲吧。我们收拾书包的时候，总有一种如梦初醒之感，但又觉得内心充实了许多。

叶老师讲课的一大特色是总是超时，到了下课铃响还讲不完预计的课业，因为她喜欢跑野马。她时常向学生道歉，啊呀，我又跑野马了。其实，我们一点也不在乎，因为我们最喜欢听她跑野马。她跑起野马来，是有规可寻的，总是沿着诗词典故与创作想象思维的脉络，举一反三。有时就顺着一条思路，上下古今，可以从《诗经》跳到纳兰容若，又再回到李商隐，然后从字句意象的构筑讲到老杜的“晚来渐于诗律细”。她跑野马时，整个人都投进联想思索的过程，随着思绪的延伸，盘旋徘徊，绕着一个主题，有时是直线的上升，有时是曲折辗转的前进，最后总能回到出发的原点，继续原先预定的课业。我时常感到，叶老师讲课早已出神入化，跑野马就像天才演员的即兴表演，其势不得不然，而且可一不可再，是最为精彩的地方。

我第二次听叶老师的课是一九六八年，她从哈佛大学讲学归来，开了“杜甫诗”一门课，我还是旁听。

听叶老师讲杜诗，有一种特殊的感动，因为她不是只讲杜诗如何如何的好，而是讲杜甫这个人一生的经历，以及如何在颠沛流离之中执着追寻自我的完成，通过诗歌之形式，以最真挚的感情发抒，展现人的生存状态。她在课堂上给我们讲的，是一个真实的人的真实经历，是一个伟大诗人不辞千锤百炼，显示出平实认真的人格。杜甫是有点迂，是有股傻劲，但同时也真实、诚挚，有一种浩然壮阔之气势，贯串他的诗篇，不论是喜怒哀乐，都能感动我们的心灵。

多少年后，我和叶老师同在美洲寄旅，遥望故乡归不得。相熟之后，才体会到，她讲杜诗讲得那么深刻，是与她自己身逢乱世、半生飘泊的经历有关。她能够鞭辟入里，充满了感情来诉说杜甫的《秋兴八首》，让我们这群二十出头的后生理解为什么“孤舟一系故园心”可以牵动后世的心弦，为什么“每依北斗望京华”可以如此令人激动不已，为什么“同学少年多不贱”有着深沉的社会人际意义，为什么“江湖满地一渔翁”并不是超脱，而是生命追求中无法逾越的怅望。这都是因为她自身体会过类似的遭遇，将心比心，有过生命际遇中类似的心境。她讲杜诗，是用自己生命的经验来讲，自然使我们为之感动。对她自己而言，一生面临的折磨苦难，在杜甫的诗作中都有“风景旧曾谙”的影子。

三

这几年来我在香港城市大学推展中国文化教学，每学期都调查学生的学习意向与兴趣，赫然发现，同学最不喜欢的是中国古典文学。他们提出的理由是古典文学难懂，文字深奥，又有许多完全弄不明白的典故，“不知道在说什么”，因此不喜欢。

这不禁让我想到自己学习古典诗词的经验。随着叶老师的指点与引导，从中得了多少的愉悦，又从中理解了多少人情的幽微要眇。古典诗词的确有其奥曲深邃之处，并非一看就懂，浅白得老妪都解。然而，古典诗词提供的风光景观，不仅有自然之美，也有人事界的悲欢离合之情，是人人在生命历程中都会经过，都会切身体验的。有过古典诗词的浸润陶冶，不但可以提升文化修养与生活情趣，得以欣赏与理解美好的事物，而且能够培养平和稳健的心理素质，承受人世间不可预测却又难以避免的困厄灾难，使我们不至于陷入悲情的深渊。

香港的同学学习古典诗词感到困难，或许有文字修养不够的原因，但主要还是因为受到社会急功近利风气影响，太过“现实”，以为古典诗词学了“没有用”，不能作为“搵食”的工具，因此，有一种抵拒的心态。这种轻视人文素养的态度，对整个社会的长远发展是有害的，会导致社会心理秩序的涣散、瓦解，以至于崩溃。我这样讲，似乎有点危言耸听，但近几十年来中国文化圈所面临的情况，正是一种文化解体，令年轻人无所适从的局面。一方面对文化传统缺乏了解与兴趣，另一方面则因内心空虚而产生强烈偏激的民粹意识，激化社会族群的政治冲突。学习点古典诗词，至少让我们理解人世的苦难困顿，古人也经历过，也有如此曲折幽微的心境。通过古典诗词的兴发感动，古人在“风景旧曾谙”的诗境中，得到精神的提升与慰藉，能以创造和谐的心理秩序，甚至进而体会天人合一的精神境界。这是我们生活在二十一世纪，仍能从古典诗词中汲取的文化资源，仍能通过理解与阐释得到的文化传承遗产。

叶嘉莹老师在二○○三年春季学期，到香港城市大学中国文化中心，作了十个专题讲座，此外还作过一次城市文化沙龙演讲，都收在本书中，共十一章。她提纲挈领地阐述了中国古典诗学的脉络，并且通过具体的范例，说明古典诗词的演变，更不厌其烦地为同学讲解诗人遣词用字的创作心理与过程。不仅如此，她还经常谈到诗词艺术与文化心理的关系，譬如有一次说到学诗的意义与目的：

很多人问我，我们为什么要学诗呢？西方有一位讲接受美学的学者沃尔夫冈·伊塞尔（Wolfgang Iser）曾经说：阅读是让你的心灵与千百年前的古人相会。其实还不仅仅是心灵的相会，你还可以通过阅读和古人的心灵相通，你可以更进一步地认识你自己，了解你自己，它是对你自己人生境界的一个提升。这也正是读诗的意义和价值之所在。如果你有很好的兴发感动的能力，如果你会背很多首古诗，那么你随时随地，看到任何一个人物，任何一处风景，任何一个事件，你的心中就会有许多古人的诗句油然兴起，它们可以给你那么多的启发，让你认识到人生的意义。这是多么好的事情！而且还不只如此，如果你也能够作诗的话，你就把你自己的兴发感动也传达出来，使别人也得到感动，这又是一件多么好的事情！

这也是我们进行文化教学的目的。

叶老师在香港城市大学讲课的时候，不但城大师生坐满了课室，还有许多其他院校的师生及社会人士闻风而至。每一堂演讲，都如春风化雨，滋润着每个听者的心田。我望着老师神采飞扬的神态，心中想，这才是“风景旧曾谙”，中国古典诗词的精神在香港也可以发扬光大。

研究金瓶梅（代跋）

最早听说《金瓶梅》，大概是上小学的时候，十岁左右吧，模模糊糊地听人提起，是什么人，是同学还是亲戚长辈，不记得了。模糊的印象中，记得这是本黄色的禁书，古人写的。过了几年，上初中了，在台北厦门街夜市的地摊上，赫然看到一本《金瓶梅》冷冷清清躺在铺开的油布上。拿起来，心里有点颤抖，手也有点抖，好像黑暗的夜幕之后，还藏着诡异而惊心动魄的秘密，在刹那之间会发出电光石火，引来挥舞钢叉的撒旦。封面是彩绘的才子佳人画面，却更像传统的绣像人物，勾勒得粗糙而且庸俗，因时间的磨蚀而褪了色，书角稍有破损，上题“古本金瓶梅”，给我一种污秽脏浊的感觉。翻了翻，是本民国初年印刷的石印本，行距密集，字迹有点漫漶，读起来很不舒服。在昏黄的路灯下，我快速翻阅，只觉得密密麻麻的字体像沙碛中的荆棘，打得眼睛发痛。左翻右翻，也没看到任何令人血脉贲张的惊心动魄段落，只好怏怏放下，带着受骗上当的羞愧，施施然翳入夜幕。

初次翻阅《金瓶梅》的窝囊经验，使我完全丧失了再读此书的兴趣，直到二十世纪七十年代中期，我写博士论文，研究晚明文化，广泛阅读明代的小说戏曲，才再次接触了《金瓶梅》。这次看的版本是日本影印的万历本《金瓶梅词话》，应该是最初的刻本，板式大方，字体清晰，仿宋字刻得中规中矩，读起来相当舒服。万历本未经后来的删削改动，内容富赡，精彩迭出，这才一扫少年时代的误会，知道《金瓶梅》真是名不虚传。不过，同时也明白了一件事：读书，要讲究版本；读《金瓶梅》，就得读货真价实的《金瓶梅词话》，即使读不到万历原刻本，至少要读影刻万历本，不能读后来删改过的版本。题作"古本"，不见得就是真正的古本，就像"真正老王麻子"不见得就是王麻子的本尊老店。

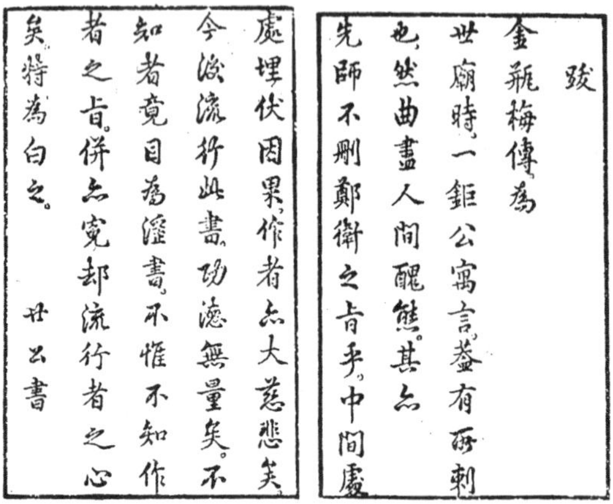

跋
金瓶梅傳，為
世廟時，一鉅公寓言，蓋有所刺
也，然曲盡人間醜態，其亦
先師不刪鄭衛之旨乎。中間處
處埋伏因果，作者亦大慈悲矣。
今後流行此書，功德無量矣。不
知者竟目為淫書，不惟不知作
者之旨，併亦冤却流行者之心
矣。特為白之。
廿公書

《金瓶梅词话》跋

读《金瓶梅词话》，本来只是丰富我对晚明生活的认识，因为此书不厌其详，记述了晚明生活的全相，包括吃喝玩乐细节。书中对饮食男女的各个方面充满了兴趣，写得热情洋溢，甚至可说是全情投入，简直到了“穷凶极恶”的地步。端上一盘八宝攒盒，就一一记述盒里盛的每一道佳肴，让你馋涎欲滴；看到一个女子，就从头上戴的簪钗、衣裳的绸缎质地与绲边、盘扣的编织风格，一直写到脚下红绣鞋的新花样。要了解晚明生活，这本书就是活脱脱的生活百科，巨细靡遗，算是另类的社会生活史料。我读《金瓶梅词话》，从中掌握了许多晚明生活细节，得益甚多，就跟读《明史纪事本末》一样，读得兴味盎然。

没想到二十世纪八十年代初，我居然卷进了《金瓶梅》作者谁属的争论，缘起则和当时访美的吴晓玲先生有关。吴先生作为访问学者，“驻扎”在哈佛燕京图书馆善本书库，校订孙楷第的通俗小说书目，而我则漫无目的，每天泅泳在明代善本书海之中，与吴先生朝夕相处，奇文共欣赏，疑义相与析，成了忘年好友。他认为《金瓶梅词话》的作者难以论定，真要猜测，则“李开先为最可能”，不过文献资料不足，也仅止于“可能”而已。我当时已经仔细研读过日本影印的万历本《金瓶梅词话》，完全赞同他的谨慎态度，更进一步说，学术研究讲求实事求是，既然没有确凿的文献证据，根本就不应该去推测《金瓶梅》的作者。靠天马行空的想象，做无边无际的推测，遽下自以为是的结论，最多也仅止于瞎猜，缘木求鱼，与学术研究无关。

一位编辑朋友听说我仔细研读明版《金瓶梅》，又跟吴晓玲切磋过《金瓶梅》作者问题，却不肯放过我，说戴不凡、魏子云等人都对《金瓶梅》作者提出了“伟论”，证实了《金瓶梅》的作者是南方人，甚至是浙江金华人，问我怎么看。怎么看？我说，都是空穴来风，胡说八道。编辑朋友就不依不饶，逼着我写文章，不准我发出“不负责任的言论”。因此，为了驳斥无稽谬论，我就挑了明代生活中饮酒与坐马桶的问题，把一些基本的历史研究方法，通过明代中叶的社会生活史资料，写成《〈金瓶梅〉中饮酒与坐马桶的问题》一文，发表在台湾的《中国时报》副刊上。文章发表了，引起了相当热烈的反响，不少师友都大感兴趣，我也就接着写了其他几篇相关的文章。普林斯顿大学的牟复礼（Frederic Mote）教授还特别青眼相看，说写得好，找我讨论了一番欧洲人饮酒与使用便盆的历史，说他的学生蒲安迪（Andrew Plaks）正在研究明代四大奇书，得好好利用我找出来的资料。

当时我颇受鼓舞，还对《金瓶梅词话》写的食物及菜肴，做了一番探讨，特别是对应《醒世姻缘传》及《歧路灯》中的食物描述，证之以晚明社会史料的饮食习惯，发现《金瓶梅词话》中出现的食品以及用餐的方式，大体上反映了明代中叶以后山东的饮食习惯。虽然不能用以确证此书出自山东人手笔，但更不能以之证明作者是南方人。同时对《金瓶梅词话》涉及茶饮及茶俗的内容也发生兴趣，打算仔细分析书中所有饮茶的场合，以及茶饮习惯所反映的社会生活。讨论食物及茶饮的两项研究，涉及的社会生活资料太多，展开的面向又过于宽泛，还没写完就丧失了兴趣。好在研究茶的部分，上半篇早已写有初稿，到了二十年后，经梦溪兄不断催稿，补上一些注释，在他编辑的《中国文化》上，发表为《〈金瓶梅词话〉与明代饮茶风尚》一文。

我对"《金瓶梅》研究"丧失兴趣与动力，主要是参加了一九八三年在印第安纳大学召开的第一次"《金瓶梅》国际研讨会"。会上虽然有不少谠论，也有些细致的人物角色性格研究，以及《金瓶梅》结构及书写策略的探讨，但是，《金瓶梅》作者是谁，仍是许多人关注的重心，而我却觉得材料不足，证据不够，捕风捉影，胡乱猜测，其实是无稽而且无聊的学术游戏。当芝加哥大学的芮效卫（David Roy）教授推论说，《金瓶梅》的作者是汤显祖，因为汤显祖写过《紫箫记》，而“紫箫”是什么，就是西门庆的“那个”。我当场反驳，从文字风格来看，汤显祖跟《金瓶梅》完全对不上号，而且说汤显祖是大文豪，大文豪才能写出《金瓶梅》，没有任何资料与证据来支持，这算什么推论？说“紫箫”一词可以解释为“男根”，以此来坐实汤显祖写过《金瓶梅》，岂不是天大笑话！我那时年轻气盛，得理不饶人，让芮教授下不了台，实在不好意思。从此，对《金瓶梅》作者谁属这个问题，产生了极度反感，不想再浪费时间讨论了。后来又有人接二连三发表论文，说作者是屠隆，是贾凫西，是某某某，居然可以拟出三十多个人名，不过，全是凭空臆造，一无可取。

三十年过去了，《金瓶梅》作者到底是谁，还是无解。朋友问，你觉得是谁？我说，不知道，没有新材料，不值得研究。

温故而知新
——《近代海外汉学名著丛刊》总序

晚清以来，西力东渐，西方文化思想的著作也大量译成中文，最著名的如严复与林纾的译著，影响了整个二十世纪中国的知识界与文学界，使得中国文化的思维脉络为之丕变。除了西方思想经典、文学与实证科学著作的翻译，以实证方法系统化探讨中国文史的域外汉学，也对中国学术思想界产生了莫大冲击，改变了中国学术的著述方法与取向。

中国传统的知识结构，是按经史子集四库分类的，以儒家意识形态的经学为文化知识的砥柱，以史学为贯串历史经验的殷鉴，至于子部与集部，则是作为保存文献、扩大知识面的附带知识，可以耽情冥想，可以悠游玩赏，却都是边缘化的知识，无关圣教的弘扬，无关文化精髓的宏旨。西方文艺复兴之后的现代学术体系，在知识分类上，与中国传统大相径庭，讲究系统分科，不同知识领域各有其客观存在的价值，有其相对独立的目的与标准。日本知识界在明治维新以来，鉴于东方文明落后于西方的船坚炮利，率先效法西方，在追求“文明开化”“脱亚入欧”的过程中，为日本学术发展循着现代西方的体例，建立了哲学、文学、历史学、经济学、法学、商学、物理学、化学、地质学、医学、农学、工程学、植物学、动物学等等新型学科，企图与西方学术齐头并进，从而影响了中国近代学术体系的发展。

本丛刊选印二十世纪上半叶出版的汉学译著百种，分为三大类：“历史文化与中国社会经济”“语言文学与古典文献”“中外交通及边疆史”，反映民国时期学术界重视西方及日本汉学研究的成果，借助他山之石，重新审视中国传统历史文化的意义，特别是开拓了传统学术忽略的领域。五四新文化运动以来，中国学者如蔡元培、胡适都提倡“整理国故”，以理性实证的方法，对中国文化传统做出系统化的研究，是与这些汉学译著相辅相成的。这些译著除了介绍域外汉学的成果，还引进了崭新的学术研究方法与视角，有助于梳理中国文化传统的脉络，重新整合知识结构与学术体系。虽然这些学术著作不是中国学者的成就，无法纳入二十世纪中国文史学术的主脉，但是从中文译本的影响而言，起码也应当视为中国近代学术发展的支脉或潜流，不容忽视。可惜的是，到了二十世纪下半叶，因为两岸政治形势的变化，这些汉学译著，除了部分因王云五重新入主台湾商务印书馆，而得以在台湾做了少量的重印，在大陆的出版界，则完全受到遗忘，甚至在许多新成立的大学图书馆中也不见踪影。我们搜集了上百部尘封的汉学译著，呈现给二十一世纪的中国学术界，一方面是为了铭记前人为推展学术而做出的努力，另一方面也是为了提醒新常态时期的学人，学术发展有其历史累积的脉络，可以从中汲取历史经验，温故而知新。

说到“温故知新”与这批早期汉学译著的关系，可以从两个方面来思考，以见翻译域外汉学如何反映了时代精神，为融汇东西方学术思维，重新阐释中国文化传承，做出不可磨灭的贡献。一是域外汉学的研究对象，以中国历史文化典籍为主，属于中西文化碰撞期间兴起的“国学”范畴，与五四新文化人物提倡的“整理国故”运动若合符节。研究中国历史文化，并赋予新的学术意义，是清末民初知识精英念兹在兹的心结。历史发展走到一个环节，时代的狂风扬起了批判传统的大旗，风中的英雄帮着推波助澜，却又无时或忘自己民族文化主体的未来，纠缠于“传统”能否“现代”的困境。域外汉学的出现，以西方实证方法研究中国历史文化传统，综合东西方各种语言文字材料，扩大了研究国学的眼界，即使无法打开中国文化传统是否走到尽头的心结，至少是提供了一个解惑的方向，在大雾弥漫的夜晚，看到了依稀渺茫的星光。

二是翻译域外汉学，有一种以子之矛攻子之盾的吊诡作用，逐渐化解了中国文化思维中的自大心理与封闭心态，让唯我独尊的国粹基本教义派解除武装到牙齿的盔甲，转而吸收并接受西方实证研究的学风。民国期间新式教育制度的推行、学术体系的变化、大学学术专业的创建，具体到北京大学国学门的成立、中央研究院规划历史、语言、考古的研究领域，都与翻译域外汉学背后的旨意是息息相关的。因此，重新阅览这批民国期间的汉学译著，对二十一世纪的现代学人来说，温故而知新，不但可以窥知民国学人追求新知的心理状态，也会刺激吾人反思，认真思考学术研究方法与中国学术发展的前景，更进一步，探索文化传统的重新阐释与新知介入的关系。知识体系的变化当然与传统的重新阐释有关，是外烁的影响大呢，还是内因变化的成分居多？

《论语·为政》记载孔子说："温故而知新，可以为师矣。"历代解经，对这个"为师"的道理，有两种相近似但又取向不同的解释。朱熹《四书集注》说："故者，旧所闻。新者，今所得。言学能时习旧闻而每有新得，则所学在我而其应不穷，故可以为人师。若夫记问之学，则无得于心而所知有限，故《学记》讥其不足以为人师，正与此意互相发也。"虽然朱熹把知识分为"旧所闻"与"新所得"，强调的却是“学而时习之”，从中生发新的心得，也就是从诠释旧典中得到新知。这个说法与朱熹在鹅湖之会以后，作诗唱和，写给陆九渊的诗句“旧学商量加邃密，新知培养转深沉”，异曲同工，是一个意思，万变不离其宗，旧学与新知是同一个脉络的知识学理。

然而，有些朱熹之前的经学家，解释“温故知新”，却有不同的取向。皇侃《论语义疏》就说：“故，谓所学已得之事也。所学已得者则温焆之不使忘失，此是月无忘其所能也。新，谓即时所学新得者也。知新，谓日知其所亡也。若学能日知所亡，月无忘所能，此乃可为人师也。”皇侃明确说到，“故”指的是过去所学的知识，而“新”则指的是新近学到的知识，新旧结合，相互发明，就可以“为人师”了。邢昺《论语注疏》循着皇侃的思路，也说：“言旧所学得者，温寻使不忘，是温故也。素所未知，学使知之，是知新也。既温寻故者，又知新者，则可以为人师也。”这里讲的“素所未知”，就不只是研读旧学，有了新的体会，从过去的传统中发展出的“新知”，而是从来没听过、没想过的新学问了。这种“素所未知”的新学问，结合“旧所闻”，对习以为常的知识框架，就会产生巨大的冲击，而出现飞跃性的结构变化。知识内容或许大体沿袭传统，知识结构却得以重新整合，出现崭新的认知系统，重新审视自己文化传统的意义，打开文化传承的新局面。二十世纪上半叶的汉学译作，就发挥了这样的作用，促使中国学者放弃自我中心的文化态度，从各种不同侧面，探知中国历史文化的光谱，以域外（或是全球）的角度观测中国传统，摇动了文化的万花筒，看到七彩缤纷的中国。

严复在甲午战争之后，改良变法思想风起云涌之时，开始大量翻译西方思想经典著作，是有感于国人（特别是传统文化孕育的知识精英）思维系统封闭，企图介绍实证新知，引进逻辑思维的方法，以破除儒学之道“一以贯之”与“放之四海而皆准”的虚妄。他翻译《天演论》，在序文中提到，有人归纳东西方学术思想，认为中国文化重精神，是形而上之学，立意高超，而西方文化重物质，是形而下之学，只追求功利的回报。他认为，这种自以为是的蒙昧态度，陷入传统旧学的框囿而不自知，没有自我反思的能力，无法吸收“素所未知”的新知识，也就无法开展并弘扬自己的文化传统。严复非常清楚他翻译西方经典的目的，是为了介绍新知，打破中国传统思维的封闭性，但是，作为披荆斩棘的拓荒人，他深知思想封闭者的顽固心理，必须因势利导，以免遭到盲目卫道之士的攻讦。严复有其防身的策略，不会像许褚战马超那样赤膊上阵，而是以桐城文章译述赫胥黎、斯宾塞、穆勒、亚当·斯密、孟德斯鸠，博得晚清知识精英的赞许，由文章深闳而传入了新知义理。从文化变迁的角度而言，通过翻译，以迂回战术来介绍西方思想，得到巨大的成功，产生了改变传统思维体系的实效，是中国近代思想史上影响深远的大事。以此类推，民国时期大量翻译域外汉学的影响，也是不容忽视的思想史课题。

关于清末民初西方学术思维冲击中国知识精英，颠覆传统文化的知识结构，钱穆在《现代中国学术论衡》的序言中，从中国文化本位的立场，发出深刻的感慨，做了笼统的批评：“文化异，斯学术亦异。中国重和合，西方重分别。

民国以来，中国学术界分，务为专家，与中国传统通人通儒之学大相违异。循至通读古籍，格不相入。此其影响将来学术之发展实大，不可不加以讨论。”钱穆所指出的问题，是传统知识体系强调“通”，文史哲不分家，最崇尚通儒，而现代学术讲究专业分科，各司其职，以至于读不通古籍呈现的整体性知识思维。姚名达在撰写《中国目录学史》的时候，对西力东渐，西潮带来的翻译著作及新知新学，也有类似的感慨：“《四部》分类法，不合时代也，不仅现代为然。自道光、咸丰允许西人入国通商传教以来，继以派生留学外国，于是东西洋洋籍逐年增多。学问翻新，迥出旧学之外。目录学界之思想不免为之震荡。”这种对学术体系发生重大变化的观察，反映了中国学人从晚清一直到民国，夹在东西方两种不同思维体系的冲突中，身历其境的切身感受，因此感触良多。

二十世纪上半叶最能代表中国学术的通儒是王国维与陈寅恪，他们浸润了经史子集的四部知识传统，承继乾嘉笃实的考据学风，却都经过西洋逻辑思维与实证科学的洗礼，参与中国知识结构的转型。对西方现代知识结构如何在中国生根发芽，不但再三致意，并且以自己的学术实践来努力促成。王国维早在一九〇二年就写信给张之洞，反对把经学列为大学分科之首，而主张效法西方与日本的大学，设立哲学科，明确指出知识结构的分类不可因循传统，而必须另起炉灶。陈寅恪在一九二五年就清华大学建制的问题，写了《吾国学术之现状及清华之职责》，指出大学的职责在于学术之独立，而中国学术界的情况令人十分不满，必须认真效法西方学术的体制及实践。他说："盖今世治学以世界为范围，重在知彼，绝非闭门造车者比。"这两位国学大师，对西方与日本的汉学研究十分注意，都是以开放态度对待域外汉学研究，集思广益，以成其大家。

再回到"温故知新"的历代经解，说说文化传承的阐释学意义。刘宝楠在《论语正义》中指出，上古之时，文化知识是上层统治精英的家学，不再治理实际政事的长者可以传递德行的知识，可以为人师。"温故而知新"，就显示长者不忘旧时所学，且能吸收新知，继承并发扬这种学术与政治合一的传统。到了孔子之时，时代出现了变化，士大夫不见得能够谨守家法，弘扬德行，也不一定能够“为师”了。孔子之后，世变日亟，“道术为天下裂”，文化知识不再为少数统治精英所垄断，也不必然与治理政事有关，学术在民间百花齐放，百家争鸣。但是，学术知识发展的脉络基本未变，仍然是要温故知新，进德修业。从刘宝楠不经意的阐释中，可以看到时代变迁影响了学术文化的内容，改变了知识结构的体系，但其内在发展的理路仍旧，还是需要旧学与新知的融合，才能有所发展。

刘宝楠还引述了刘逢禄的解释：“故，古也。《六经》皆述古昔、称先王者也。知新，谓通其大义，以斟酌后世之制作，汉初经师皆是也。”刘宝楠赞成这个说法，并指出，汉唐人解释“知新”，大多数都沿用此意。也就是说，旧学是传统的知识结构体系，新知是时代变化出现的新知识，必须相互斟酌，才能发挥得宜。至于如何对旧学“通其大义”，就见仁见智，各有说法了。从这个通达的诠释来讨论近代西学东渐的情况，我们可以看到，“温故而知新”

在民国学人的心底，是产生“传统”与“现代”纠葛的心理陷阱，不易跨越。若依照朱熹的说法，“学能时习旧闻而每有新得，则所学在我而其应不穷”，虽然在哲理上可以模模糊糊说通，但在清末民初的具体历史时代环节，西学的新知属于完全不同的知识体系，在原有的旧学脉络中，根本无从立足，如何“其应不穷”？所以，真要放之四海而皆准，提升“温故而知新”的普世意义，以理解域外汉学译著与近代学术知识体系变迁的文化史意义，我们认为，皇侃、邢昺，一直到刘宝楠的阐释，是比较合适，并与现代文化阐释学的说法相近。

伽达默尔（Hans-Georg Gadamer）在他的名著《真理与方法》中，说到认知理性与文化传统的关系，特别指出，人们通过理性，来判断历史文化中事实的真相，但是人的理性与生存环境息息相关，与传统所衍生的丰富文化底蕴有关，不可能完全超越文化传统的思维脉络。他认为，人生活在文化传统之中，就不可能“遗世独立”，以全能超越的抽象思辨来认识传统，甚至是批判或颠覆传统。传统是历史文化延续与传承的表征，不会一成不变，而我们的认知理性也会因时代变迁，而不断重新诠释传统。伽达默尔的阐释学以西方文化传统为例，说明新知如何纳入传统，而使文化传统生机不断，生生不息，与中国历代经学家的说法（朱熹除外），有异曲同工之效。以此观照民国时期的汉学译著，我们认为，这批学术新知传入中国，对中国文化传统的繁衍与发展上，实有承先启后之功。

《近代海外汉学名著丛刊》的出版，最值得感谢的是南兆旭先生二十多年来搜罗的执着与努力。虽然这套丛刊不能穷尽民国时期的汉学译著，但是，能汇集上百部自从一九四九年以来在大陆不曾重印的学术著作，再度公之于世，总是功不唐捐的大功德。忝为本丛刊的主编，我面对这批学术材料，先是感到纷杂无章，有些原作者的学术素养也难副当前的学术标准，甚为犹豫。后来转念一想，这是二十世纪中国最纷乱时期的学术记录，也是民生凋敝，国势陨危，内乱外患交加之际，仍有许多学者孜孜矻矻，戮力翻译域外汉学，为中国学术的承传拓展新知的坦途，不禁肃然起敬，开始用心整理分类。挂一漏万，在所难免，好在有学殖丰赡的诤友担任分卷主编，并撰写各分卷前言，实在是衷心铭感。有傅杰教授负责“历史文化与中国社会经济”，戴燕教授负责“语言文学与古典文献”，霍巍教授负责“中外交通及边疆史”，吾道不孤矣。在整理编辑过程中，助理周威先生费心最多，也是我要衷心感谢的。

道术之存亡，全在人心之向背。这批汉学译著重新问世，对我们生长在承平之世的学人，应当有激励的作用，为学术研究多尽分力，让中国学术发展更上一层楼。

《出版文化的新世界：香港与上海》序言

过去人们讲起中国古代的科技发展，总是说“四大发明”，火药、罗盘、纸、印刷术，是我们民族智慧的骄傲。然而，老师在课堂上讲述，小学生在课后背诵，依样葫芦，并没有想过这四大发明，尤其是纸与印刷术，在人类文明发展的进程中，都扮演了知识传播与文化交流互动的角色。人类知识得以传递，文化得以累积并且普及，文字载体通过纸张的印刷发行，使新知广为流传，化一为百为千为万，在短时间内产生连锁影响，使人类文化生活产生巨大变动，其功厥伟。从学术研究的角度来看，一个民族文化知识体系的发展与变化，可以从书刊出版得知情况，并且由此推知其发展脉络。因此，出版史的研究，涉及历史文化的各个领域，不能仅仅研究图书本身，像古人那样只偏重版本与藏书研究，更重要的是，要从图书目录学、版本校勘学的园囿走出来，研究图书出版的内因与外缘，探索涉及文化传播的相关课题，以期理解知识体系的形成、知识结构的变化、新知传播的脉络等等。

在二〇〇八年第一届中国出版史会议上，我作过主题发言，呼吁出版史研究的方向，应该“以书刊出版为核心，以书刊传播为关键，受文化影响是重点，以文化交流为流韵”。因此，我在组织二〇〇九年第二届中国出版史会议的时候，就想集中探讨出版史涉及的文化交流议题，阐明文化交流的“流韵”究竟是什么，在文化变迁的脉络中，是如何渗入原有的知识肌理，如何刺激及调整知识体系，如何改变知识结构，展现其影响的流风余韵。恰好上海出版博物馆（筹）的林丽成馆长建议，以上海与香港两地的出版及其交流互动，作为第二届会议的主题，与我的想法不谋而合。因此，我就把会议的议题定作“出版文化的新世界：香港与上海”，内容集中在上海与香港的近代出版事业，以具体的出版实例，展示东西文化在近代接触碰撞之时，传播新知的物质基础如何发生变化，出版印刷的运作结构与模式如何发展，新式报刊如何改变人们的认识与知识结构，新知的传播如何影响了社会阶层的变动，从一个新的视角，探视中国近代文化变迁的方方面面。

会议如期在香港城市大学中国文化中心召开，大陆、香港、台湾，及日本、欧美的学者齐聚一堂，热烈研讨，交换学术心得。会后决定出版一本论文集，以示出版史的学术研讨成果，也要通过出版这个手段，传布影响，把我们规划与探索的心得公之于世，推动知识结构的调适，促进文化与学术的发展。会议原本以中英两种语言场次进行，有些论文以英文写成，在编辑本书时，英文论文的作者希望另行刊出，所以就没有纳入本书。也有个别论文作者因为无暇修改论文，赶不上出版的时限，也就无法在书中呈现。不过，我们要感谢所有参与研讨会的学者，他们的参与及所提的宝贵意见，促成了学术交流，造就了本书的结集与出版。

我们按照会议原本的构思及论文性质，把论文分成四大类，显示近代中国“出版文化的新世界”是如何形成的。第一类是“西学东渐与中国出版”，第二类是“沪港出版交流”，第三类是“图书出版与文化互动”，第四类是“出版与语言变迁”，从不同侧面观察及思考近代出版业的变化与中西文化交流的关系。总结这两届中国出版史会议的成果，我感觉还有许多议题值得学者多做探索，如“出版文化的旧世界”，也应该采用出版史的新方法来探索。对中国历朝历代出版，特别是宋代以后，所涉及的社会文化影响，不论是出版业及其市场的结构变化，不同类别书刊出版的阶级划分及融通，还是阅读延伸的知识渗透，上层与下层文化意识的交错互动，都需要重新审视。明代后期出版业大盛，恰好也是早期耶稣会传播西学的时代，放在中西两种不同的出版传统与环境脉络中，对于当时中西出版传播知识的比较研究，也是以后可以多做探索的方向。此外，对于图像出版的研究，也应该扩大思考的范围，不只是作为文字的附属插图来对比研究，还要探索图像的视觉影响，以及图像载体所传递的文化讯息。由此看来，出版史研究还有极为广阔的天地，有待我们去开发探究。

缅怀巴比伦
——读《西亚考古史（1842—1939）》

一

想到伊拉克这片土地，眼前浮现的就是美军的狂轰滥炸。最先进的高科技尖端武器排山倒海而来，像愤怒的耶和华手把犁铧，不是为了耕耘，而是掘地三丈而不止，让萨达姆的党羽尸骨无存。钻地鼠式的深爆巨弹与目标精准的导弹，连番掀开大地的皮层，蹂躏着地层下蕴藏的血脉与记忆。地面上的伊拉克人民，随着暴君的覆亡，受尽了无妄之灾；埋藏在地底的文明记忆，也难免池鱼之灾，领教了五六千年人类文明高度发展的淫威。

当伊拉克国家博物馆遭到洗劫，当古代苏美尔文明、巴比伦文明的珍贵文物流入国际古董市场，当跨国大企业所属的文物买卖部门与大博物馆联手敦促政府修改文物流通法条，当美国军方表示伊拉克文物遭到破坏确是（那口气却流露出“只是”之意）“遗憾一桩”的时候，我刚好读到这本“北京大学古代文明研究中心学术丛书”之一的《西亚考古史》。书中所记的古代苏美尔文明、巴比伦文明、亚述文明所赖以孳生的土地，正是我们从小就读到的两河流域一带，在史书上称作“肥腴月湾”的土地，也就是目前遭到高科技大杀伤武器毁坏的土地。

二

《西亚考古史》研究的重点，是西方考古学者如何“发现”了近东地区的古代文明，如何从废墟中发掘出灿烂光辉的历史往昔。本书以一九三九年为结，是因为第二次世界大战在欧洲爆发，以欧美为主导的考古发掘在西亚为之停顿。等到二战之后，西亚地区兴起的民族国家意识，不再允许欧美列强以掠夺或猎奇的心态，继续“发现”并“拥有”此地区的古文明遗产。从西方学术霸权的角度来看，二战爆发也成了“西亚考古黄金时代”的终结。孕育了古文明的这片西亚土地，此后就成了伊拉克、伊朗、叙利亚、黎巴嫩、以色列及巴勒斯坦相互厮杀争夺的土地，眼前的硝烟弥漫早已蒙蔽了古文明的痕迹，而断壁残垣的废墟往往只是昨天或去年的战斗业绩，覆盖的面积则远远超过几千年累积的遗存。

本书共分八章，前三章是绪论，叙述西亚考古正式展开之前的环境地貌、欧洲古典著作及《圣经》中的记载，以及文艺复兴前后到十九世纪初欧洲学者对西亚古文明的考察。后五章则扼要叙述了十九世纪以来欧洲学者如何解读楔形文字、大规模考古发掘的进行以及科学考古学的建构。全书叙述条理分明，行文流畅，让人读后对西亚考古的历史得到清晰的印象，可说是纵观西亚考古历程的最佳入门参考书。

三

书中述及的重大考古发现很多，这些发掘所得的文物遗存与遗址，拼凑聚合起来，就逐渐呈现出西亚这片土地上的古文明是如何兴起与衰落的。特别值得一提的讨论是：格罗特芬（G. F. Grotefend，1775–1853）及此后学者对楔形文字的解读；史密斯（G. Smith）在一八七二年整理楔形文字泥板发现一块残片讲的是“洪水故事”，引发了尼尼微遗址的大规模考古发掘；德国在一八九八年成立东方学会，对古巴比伦地区遗址的系统发掘；大英博物馆对乌尔王陵的发掘；法国考古队在马里所发现的“马里王室档案”；芝加哥大学东方研究所对亚述国王萨尔贡二世新都的发掘及在伊朗发掘的古波斯遗址波斯波利斯。以下只介绍一下关于楔形文字解读的前两项讨论。

楔形文字的解读，最初靠的是波斯波利斯发现的一些铭文及格罗特芬非凡的想象力，成功解读了古波斯语铭文。其后则是今日伊朗境内贝希斯敦（Bahistun 或 Bisutun）悬崖上的大流士铭文，因有三种对照的古楔形文字，而使学者得以解读古波斯语、埃兰语、阿卡德语铭文。一旦掌握了解开秘密的钥匙，又有数以万计的楔形文字泥板不断出现，西亚古代文明的历史也就逐渐呈现在我们眼前。

为了把楔形文字所呈现的古文明公之于世，大英博物馆出版了大型文集《西亚楔形文字铭文集》，自一八五七年计划启动到一八八四年，共出了五卷。史密斯在整理和临摹楔形文字泥板时，发现了一块泥板残片，其中讲到“洪水故事”，与《旧约》中叙述的大洪水故事十分类似。这就意味着《旧约》的洪水故事，并非希伯来人原创，而是袭自亚述人的传统，也就显示了希伯来文化有其源自亚述之处。这一发现引发了学术界的强烈反应，并促使了大英博物馆立即恢复发掘尼尼微的决议，目的之一就是寻觅“洪水泥板”的残缺部分。史密斯亲身到尼尼微去进行发掘，而且鬼使神差地，真让他发现了“洪水泥板”的残缺部分。

四

《西亚考古史》是一部谨严的学术著作，除了征引许多国外的研究报告与综述，书后还附有《西亚考古学大事年表》，按年代详列考古发掘的具体成绩。此外，还有《年代表》《参考文献及其缩写》及《名词对译表》，极便于学者参考翻阅。这本书同时也是十分有趣的考古探险概述，读来引人入胜，了解到有这么多学者及考古人员，花费了如许的心血，经过这么长的时间，才一点一滴，集腋成裘，逐渐弄清了西亚古文明的发展面貌。

然而，这片土地又再度笼罩在硝烟中，面目全非了。

秦俑艺术的震撼

秦俑给现代人带来的艺术震撼是什么？是壮观、是宏伟、是咄咄逼人的气势、是潜伏在收拾起刀光剑影之后的一片杀机。

秦始皇何许人也？是残民以逞的独夫，是穷兵黩武、好大喜功的暴君，是囊括天下、供一人一姓享用的贪婪无厌之人。他一统天下，修筑了万里长城，开通全国的驰道，钳制言论，诛杀异己（所谓“焚书坑儒”），盖起了连绵数百里的宫殿，当然，还兴建了雄伟的始皇陵。秦俑的烧制，就是为了守护秦始皇的陵墓，保卫他死后可能还存在于另一世界的魂灵，让他继续拥有不可一世的威仪与权力。

我时常想，像秦始皇这样的暴君，导致多少天下无辜生灵涂炭，造成无数黎民家破人亡，为什么还会受到后世某些人的赞佩与称颂，说他是“千古一帝”（明代的李贽如是说），是“英雄”（当代的导演说），还有人一心效法（现代的伟人如此做）呢？

李白的《古风五十九首》之三，是这么开头的：“秦皇扫六合，虎视何雄哉！挥剑决浮云，诸侯尽西来。明断自天启，大略驾雄才。收兵铸金人，函谷正东开。铭功会稽岭，骋望琅玡台。”写得虎虎生风，扑头盖脸而来，让人感到秦始皇气吞河岳的气势。李白这首诗虽然以“但见三泉下，金棺葬寒灰”为结，是说功盖天地也难逃一死，有点“讽世”的意味，但笔下的秦始皇却是雄才大略，令人神往。在气盖山河的“虎视”之下，老百姓不见得心悦诚服，但却甘心听令，“领袖挥手我前进”，万死不辞。秦始皇陵前一排排列阵的秦俑，仪容整肃，像是待命出征，便是秦始皇大略雄才的最佳见证。这样的气势甚至还感染了后世，让许多人说起来就眉飞色舞。为什么？

因为他留下了盖世的功业，留下了一两代人血泪所凝成的丰碑：统一的帝国、万里的长城、空前绝后的伟大陵墓。

当我们看到或想到这些“丰功伟绩”时，自然就联想到了赫赫不可一世的秦始皇。

我们容易忽略的是一双双建造丰碑的手，流着血汗攀登上山脊筑城的劳工，冒着剑矢交加，在沙场上搏杀的兵士。成千上万的生命，活生生的生命，献出了一切才智与心血，献出了身躯与灵魂，塑造了惊天动地的“丰功伟绩”。难怪我们回顾历史，会有惊心动魄之感，会不寒而栗，也会受到这种排山倒海气势的震慑。

现代人看到成千上万列阵的秦俑，应当会产生这种震慑感，而艺术家更会想到制作这一批秦俑背后的创造力与心血。那是工匠的心血，是陶人汗水所凝聚的成品，是日日夜夜辛劳的成果。震撼会产生艺术感染，会迫使我们思考前人的努力与创意，也可能激发新的创意。因此，秦俑就成了文化遗产所提供的创新素材，成了艺术创造的文化资源。

秦俑和万里长城一样，都比秦始皇伟大。

宝相庄严

——“常万义先生所藏佛教造像展”序

一

一九九六年十月，在山东青州龙兴寺遗址发现了大批窖藏佛教造像。因其数量大、制作精美、贴金彩绘保存完整，而轰动一时，被选为当年全国十大考古发现之一。经过整理与拼对之后，这些窖藏的残损造像，成型的有数百尊之多。在中国历史博物馆展出时，海内外报章争相报导，后来又曾来港展出，一时之间，造成了“青州佛像热”。

青州龙兴寺出土的佛像有其特色，让人在观赏之余，产生无穷的遐思与玄想。眼前一尊尊庄严又慈悲为怀的佛像，是如何在雕工的手中逐渐成形的呢？当雕锥敲击在岩块上，迸出四散的岩粒与火花，石匠的眼中是否已经看到了灵魂超越的希望，看到了佛光普照将会凝聚在造像之中？如此精美的佛雕艺术，如此让人心灵净化以至于超升的形象，出自什么样的创作心灵呢？是否龙兴寺汇聚了当时全国的能工巧匠，进行过一次伟大的艺术创作计划，才留下了如此灿烂的文化遗产？

龙兴寺出土的这批佛像，的确令人心驰神移，但却绝不是唯一的中国佛雕艺术高峰。佛雕艺术的盛行与发展，在时间的延续上，历南北朝隋唐以至于宋元。在地域的涵括上，由西域关陇，经中原到山东，再到江南，可说是无远弗届。此次香港城市大学举办的佛雕艺术展，呈献了常万义先生多年的收藏，就清楚显示了佛雕艺术的时空跨度之大，并且展现了佛雕艺术的多样风格。我们可以看到秀美灵动的神态，也可以看到敦实肃穆的表情；可以看到慈爱安详的关怀，更可以看到端庄虔诚的观照。

二

常万义先生的藏品，有不少出自北朝青州一带，与龙兴寺出土造像风格相近。

研究龙兴寺出土造像的学者都指出，这批佛像的材质大都是青州出产的石灰石，质地细腻，便于雕刻精细的造型。释迦牟尼佛的标准程序化造型虽然是一种规范性的限制，但是青州佛雕却能把握眉眼之间的表情，让人感到我佛慈悲的内心世界。此外，在北齐时期出现了一种袈裟贴身的样式，具体展现了“曹衣出水”风格，制造了飘逸的动感，使得坚硬的石材化作有血有肉的健硕身躯，凝聚着世间的生命能量，通过艺术的升华，带领着人们的灵思向往超越的世界。

菩萨与飞天的造型，程序化的限制较少，灵动变化的幅度较大，装饰也多。相对而言，人间性的秀丽优美成了重点，成了艺术创作的主要关注。从精雕细琢的宝冠，造型复杂精美的项圈，到披肩的垂带及布满全身的璎珞，菩萨造像简直就成了高雅优美、仪态万千的贵妇人形象，同时，又让人感到端庄大方、凛然不可冒犯。金维诺在描述菩萨造型优美时，特别指出："祥和的颜面，不是简单刻画笑容，而是在宁静含笑中，体现慈祥，体现菩萨心肠，体现形象内心的美。"佛雕艺术成就非凡，即在其能够认识并呈现肉体之健美，而又通过虔诚的信仰，企图超脱肉体，升华到空灵的世界，在不可能调和的认知矛盾之间，在宗教狂迷追求超升与肉体现世经验的冲突之间，找到了艺术发抒的平衡。

这次的展品中，有一尊北魏青州的石佛头像，高十九厘米，螺髻高耸，呈波浪形，充满动感。这尊佛像秀丽纤巧，造型柔美，令人惊艳，同时又感到安详平和，萌生出尘之想。佛像经历了一千五百年的岁月磨蚀，表面黧黑硋礶，然而"粗服乱头，不掩国色"，那挺直纤巧的鼻梁、秀美带笑的嘴唇、丰腴却不肥厚的双颊，呈显了柔嫩细腻的脸庞肌理。石像流露的微笑，不但恬静自足，还带有出尘绝世的超脱情怀。若比喻作花，一定是出淤泥而不染的莲花，"濯清涟而不妖……香远益清，亭亭净植，可远观而不可亵玩焉"。

这尊秀美的佛头，亦当如是观。

展品中还有一尊北齐石佛头像，高十四厘米，面相丰长厚实，双目微睁，嘴角上翘，显示慈祥关爱之情。这尊佛像所流露的微笑，与前者的意蕴稍有不同，更似慈父关爱儿女的表情，严肃之中有着无穷的宽容。另一尊北齐释迦牟尼坐佛造像，高五十一厘米，风格与此相近，线条清秀明畅，刀法矫健，纹路优雅纯净，是青州石雕的典型作品。再如北齐石佛头像，高三十二厘米，是山东诸城造像，庄严肃穆，天庭饱满，面相浑圆，相貌与青州佛像稍有不同。但谛观其螺发的细密精致，整齐有序，再仔细观察其眉眼线条之优雅有致，面颊造型敦厚而明畅，寓轻盈于庄重之中，仍为青州佛雕艺术一脉。

这种寓轻盈明快于庄重肃穆的青州风格，通过展品中的石佛立像，表露得十分明显。展品中有五件北朝时期石雕残躯，其中三件为佛身，都以简洁纯净的纹路，刻镂出佛体的健硕与优雅。另两件为菩萨立像，肩披垂帛，上身裸露，颈围项圈。其一斜挂璎珞，另一尊则仅佩宽大项圈，饰以优雅的珠翠垂坠。通体而观，这几尊立像的衣纹疏简流畅，在宁静中呈现一种凝聚的生命力，正可配合安详平和的面容，展现佛雕超越人世纷扰的气度。

除了前述北齐释迦牟尼坐佛造像之外，北齐半跏思惟像（高六十五厘米）、北朝浮雕菩萨造像（高五十三厘米，宽四十八厘米）、北魏嘉莲翔龙式背屏造像碑（高约七十厘米）、东魏造像残存右胁侍菩萨（高约八十厘米）及北朝石佛造像背光飞天残片（高四十二厘米、宽六十七厘米），都是呈显青州风格的精品。前三件比较完整，与一般研究龙兴寺出土造像所述相符，尤其是那件嘉莲翔龙式背屏造像碑，雕工精细，神态宛然。翔龙口吐嘉莲，化为菩萨所立的莲台，纹路清晰活泼，富有动感。最值得注意的是，莲叶翻转的态势与佛像袈裟下摆的飘动，配合碑顶飞天裙裾飘飘，形成了灵动的雕琢群像，宛似天外涌来一阵微风，催动了上界天女，齐来聆听我佛说法，在这片石灰岩的碑体上显现了庄严的宝相，感动了诸天，为之雨花。

后两件虽是残片，然而艺术造诣却高，不可等闲视之。

东魏造像碑残存右胁侍菩萨的面貌，与前述高十九厘米的佛头造型相似，洋溢在眉眼嘴角之间的微笑，有一种神妙莫测的超越性，带人进入心灵超升的境界。曾有学者指出，佛与菩萨的微笑是圆觉净境的诚挚与安详的表现，与达·芬奇所绘“蒙娜丽莎的微笑”有异曲同工之处，都是人类智慧对高贵表情的体会。青州风格的微笑，尤其如此。

三

展出的北朝造像，也有许多不是山东地区的，就显示了同时代不同地域的风格差异。如山西北魏石佛头像，高三十三厘米，方头大耳，宽颊腴颔，庄严慈祥。散发出来的艺术感染气氛，是庄重而非灵动，是沉稳而非优雅。或许这种沉稳庄重的佛像风格，更能反映信众与佛陀的关系，反映虔诚教徒的信仰对象是如此稳若磐石，可以将身家性命完全托付。另一山西出土的唐代佛头，高五十八厘米，双目低垂，神态更为沉稳内敛。嘴角的微笑也若隐若现，好像不必再经过情感的沟通来引导超升，因为世人已完全拜服了佛陀的权威，只要虔诚膜拜，自然就能借助如来神力而圆满涅槃。

展出的北周菩萨立像，高一百十一厘米，是陕西地区的石窟造像，也显示了这种沉稳庄重的佛雕主流风格。菩萨头戴的莲冠与围于肩背的长巾，都显得朴素平实。璎珞从左肩垂下，搭在左臂上，雕工简洁却不精细，似乎反映出北周工匠不拘小节的创作心态，不知是否也隐约透露了后来北周灭佛之征兆。

由藏品中多尊隋代菩萨立像及头像可以看出，隋代的佛雕有明显的装饰性，高冠宝瓶，纹饰华丽。项圈、璎珞与珠链的雕琢，有繁复工整的倾向。有趣的是菩萨的面庞，都与佛陀近似，一个个方头大耳，宽颐厚项，沉稳有余，灵巧不足。质言之，就是隋代的雕像有些板滞，线条的流动感少了一些。

隋代的菩萨造像四平八稳，或许反映了时代精神，反映了三四百年的战乱终归一统，反映了南北朝天下分崩离析的局面终于结束，河清海晏，四海升平，政治秩序渗透到心理秩序，再影响到艺术创作的四平八稳秩序。然而，天下初定，由无序到有序的心理转换酝酿过程不足，着意呈显心理秩序的平稳安定，佛教造像的艺术表现，也就难免有点僵硬，灵动不起来。

唐代的造像就出现了很大的变化，特别是到了盛唐时期，气象宏大，在厚实沉稳之中流露了无限的洒脱，对肉体肌理的呈现也十分注意。只要对比西安附近出土的唐菩萨立像与渭南一带出土的隋代立像，立时就可分辨其风格与精神内蕴的巨大差异。唐像高六十四厘米，体态丰腴，与隋像的身裁大体类似，但隋像挺直站立，四平八稳，不显腰身，与唐像显示的腰身款摆，婀娜作态，实在大异其趣。这尊唐像不但袅娜多姿，其佩饰的安排也极为讲究，华丽绚烂不说，与三曲款摆的腰身搭配，回旋呼应，令人叫绝。

这尊风姿窈窕的唐像，立于八角形石座上，石座背面有铭文“大唐天宝五年二月十日”，不禁使人缅想天宝盛世，西域早已传来龟兹乐舞身段，影响所及，连雕造菩萨的身体，都像敦煌壁画上的歌舞乐伎，表现S型的三曲舞姿。若是联想翩跹，就会浮现唐明皇钟爱的霓裳羽衣舞，“骊宫高处入青云，仙乐风飘处处闻。缓歌谩舞凝丝竹，尽日君王看不足”。菩萨的风采，与人世间的征歌选舞相融；圆觉涅槃的宝相，与舞伎的袅娜妖娆相配，若合符节。雕造让人膜拜景礼的菩萨，却显示了菩萨的绝代风华，扭动裸露出肚脐的纤腰，款摆臀部，颇似今日流行的肚皮舞，倒是有趣的盛唐气象。

唐代的菩萨造像脸庞丰润，呈满月形，甚至明显突出双下巴的富态特征，反映了当时审美的倾向。《开元天宝遗事》记杨贵妃：“贵妃素有肉体，至夏发热，常有肺渴。每日含一玉鱼儿于口中，盖藉其凉津沃肺也。”杨贵妃不单是胖，到了夏天还胖得发喘，要在口中含一条玉鱼，使得腮帮子鼓胀起来。试观陕西渭南出土的唐菩萨头像，高二十八厘米，面庞丰满，双下巴显著，而且两腮微鼓，即使口中不含玉鱼，已经让人感到十分“有肉体”了。菩萨肉体丰满，由前述的天宝五年立像及展出的两尊菩萨坐像亦可看出，不但曲线玲珑，风姿绰约，而且丰乳肥臀，展现了肉感的诱惑。这与欧洲中古时期基督教石刻的圣徒造像，因禁欲而形容枯槁的形象，呈鲜明的对比；与圣母造像的丰满慈爱、手抱圣婴的母亲形象，也大不相同。

这两尊唐雕坐像姿态端庄，但也同时显示了雕工刻意表现菩萨体态丰满的兴趣。最明显的证据即是呈现脸庞丰润，不但突出了双下巴，还清楚镂雕出颈上的三道肉褶。从坐像的背面来看，更可看到蜂腰肥臀，曲线玲珑，表现了唐代风俗对美女胴体的爱好倾向。特别值得注意的是，雕像静中有动，庄严之中又有无限妩媚，丰腴却不迟钝。半跏趺坐之姿，沉稳肃穆，使人油生景仰之感，同时又有灵动轻盈的势态，好像菩萨随时可以冉冉飞升，凌空步虚，在天界普降渡世的甘霖。唐代菩萨这种兼有娉婷婀娜与庄严肃穆的特质，在艺术表现上是非常难能可贵的，特别是在审美特性相互矛盾的两极之间，保持了高度艺术敏感的平衡，更是令人惊叹不已，为之心折。

“中国花钱：艺术、宗教与民俗”古钱币展览序

中国古代钱币，有各种各样的形制，有贝状的，有铲状的，有刀状的，但是通行最久、流传最广的则是环状的钱币。海贝作为交换货品的钱币使用，源自远古，商代的墓葬与遗址中时有出土。古文字的“货”字从贝，不仅指的是货品，也指的是可以进行物品交易的代替媒介，是反映货品价值的货币。在春秋战国时期，铜钱开始普遍使用，中原三晋地区主要用铲状的布钱。铲状布钱的来源，是铲地用的农具“镈”，“布”字则是“镈”字的同音假借字。《辞海》解释布币的发展，简明扼要：“初期布币还保留鎛的形状：首空可以纳柄，形如今之铲，故又称‘铲币’或‘空首布’。”在齐国和燕赵地区，流行的是刀币，显然是

由实用的刀具转为交换的货币。至于环状的钱币，有学者（如千家驹）指出，是从纺轮演变而来，因此体圆有孔，先是圆孔，后来变成方孔，或许与战国时期逐渐流行的“天圆地方”观念有关。

秦始皇统一中国，也统一了钱币，废除贝币、布币、刀币，发行方孔圆形的半两钱。中国钱币形制在后代的发展，除了王莽时期心血来潮式的好古改制，短期间实行“宝货制”，分金银铜龟贝五物二十八品，恢复贝币、布币、刀币，制造了混乱之外，一直都沿用方孔圆钱。

钱币的铸制与使用，本来是为了顺应社会的实际需要，以利货品流通与交换，作为价值的媒介与替代。然而，铸造的精致与设计的美观，不但产生了审美的效应，还很容易引发了文化象征的联想，因此而有纪念币、吉祥钱、厌胜钱的出现。这类“非实用性”的钱币，也就成了有钱币之形而无钱币之实的象征饰物，为人们带来口彩与精神满足，甚而成为潜伏在心底、蠢蠢欲动的无明欲望与恐惧的镇宅至宝。这类钱币在中国统称“花钱”，又有“吉祥钱”“厌胜钱”等名目，大概始自谶纬流行的汉代才大量出现。其实，王莽改朝换代，以“新”作为朝代的名称，又铸造各式各样的新钱币，都是为了讨个吉利，希望国运昌隆。

宋代王黼的《重修宣和博古图》卷二十七，收了五枚汉代长方形厌胜钱，钱上有龙有马并列。他做了一些探讨，指出唐朝人就开始收藏，而且多为各种图像的环钱，名曰厌胜钱。还由龙马图像而引申出钱币的意义：“且钱谓之泉布，则取其流行无穷之义。而此着龙马者，盖行天莫如龙，行地莫如马，亦泉布流行之谓欤？”汉代的志怪书《洞冥记》中有一则故事，说有三只青色的野鸭飞入望月台，到晚上变成三个小童，“皆着青绮文襦，各握鲸文大钱五枚，置帝几前，身止影动，因名轻影钱”。这个“轻影钱”显然没有货币的作用，也没有标示价值，而是一种充满神秘意义的象物，可能有魔法的作用。严格说来，这样的钱币不是钱，而是从“钱”所引发的一切美好而有利的联想，可以是富贵，可以是权力的掌握，也可以是美梦成真的契机，是福禄寿的引路明灯。有趣的是，在中国文字使用中，因为好用典故，“青凫”（青色的野鸭）居然成了钱币的雅称。

南宋时期的洪遵著有《泉志》一书，专门记载研究钱币资料，其中就说到晋代曾出土“百当千千当万”钱。还有石勒所铸的“丰货”钱，“文曰丰货，世人谓之‘富钱’，言收此钱令人丰富”。南北朝时期为求祥瑞而铸造吉祥钱的例子很多，如北齐文宣帝即位，就有广宗郡献祥瑞钱，“文曰归于圣帝”。南齐世祖则得有“太平百岁”大钱，钱上有北斗七星图样，又有人形带剑。《泉志》所载花钱，除了祝愿政权的祥瑞之外，也有些是祝愿生儿育女，旺丁旺财的，如“永安五男”钱，“五男二女”钱，“五男二女、叁公玖卿”钱。最有意思的是一种针书文的“布泉”钱，“世人谓之男钱，言佩之则生男也”。有些钱的厌胜辟邪意义明显，如一面是“去殃除凶”四字，另一面是“辟兵莫当”；有的是幸福财富都要，一面是“长毋相忘”，另一面是“日入千金”；有“天下太平”钱，背面是五男二女图案的，或是人形舞蹈，或是人形龙形舞蹈的；也有七夕钱，穿左为牛郎，穿右为织女，穿上为花，穿下为草。形形色色，不一为足。《清稗类抄》记光绪时期的钱币收藏家叶奂彬，在北京隆福寺“得小钱三品，一面文曰‘子丑寅卯’，一面文曰‘辰巳午未’，一面文曰‘申酉戌亥’，背皆有属虫，其龙形如犬猴，四足伏地，不作立状，与汉碑画像合，六朝厌胜品也”。

这种花钱的铸造，一直沿袭到后代，宋元明清时期更为兴盛，不止是祝愿朝廷与家族，更加入了佛教与道教的信仰与传说，变得多姿多彩。本书所收花钱，如龟鹤齐寿、龟龄鹤寿、长生不老、福如东海寿比南山、长命富贵、金玉满堂、状元及第、五子登科、平安吉庆、一本万利、天赐金钱等，都是民间口彩俗语，同具吉祥厌胜的作用。有些咒语符箓花钱，则属道教性质，有强烈的厌胜作用。

有人指出，花钱的定义明确，应该不同于吉祥钱或厌胜钱，应该只是指“以金属铸造、以镂空工艺表现吉祥内容、用以佩挂的古钱型饰物”。换句话说，只有镂空花钱才是花钱，有文字的不算。这样的狭义界定，排除一切不符合镂空图案花样的钱币，固然可以自圆其说，但却制造了更多的问题。首先，如何给“非实用性”的钱币一个通称？不准用“花钱”二字，难道要叠床架屋，学那些后现代的盲从追随者，称作“吉祥/厌胜/（镂空）花钱”吗？再者，说花钱需要以“镂空工艺”制成，其实是误导的说法，因为所谓的“镂空工艺”只是铸造工艺使用镂空图案而已，与其他一切钱币的铸造工艺，没有什么不同。再次，说必须“用以佩挂”就更不通了。镂空花钱固然便于佩挂，但是也可以珍藏匣内或作为摆设，并非不佩挂就不是“花钱”了。何况，铸造镂空花钱的本意，是取其图案的美观与吉祥，或取其厌胜的神秘审美联想，不是专门为了佩挂的用途。因此，镂空花钱只是花钱的一种，不能垄断“花钱”这一通称。

“叠山理水——苏州园林艺术展”序

一

说到中国园林艺术，稍有古典文学基础的人心目中都会浮现王维的辋川别业，因为这位唐代的大诗人写过一批吟咏园林的名诗。他为辋川别业写的一组绝句，其中有几首特别脍炙人口，为人传诵。如《鹿柴》：“空山不见人，但闻人语响。返景入深林，复照青苔上。”《竹里馆》：“独坐幽篁里，弹琴复长啸。深林人不知，明月来相照。”这里呈现的山林之景，已经不是完全自然状态的山水图景，而是经过巧手安排、蕴涵了人文美感的空间。

王维还绘有《辋川图》，通过空间审美的想象，营造了诗情画意的境界。《唐朝名画录》曾说到王维笔下的园林图

《叠山理水——苏州园林艺术展》
香港城市大学中国文化中心
2005年版

景，“山谷郁盘，云水飞动，意出尘外，怪生笔端”。也就是指出，山水经过安排调理，已经看山不是山，看水不是水，有特殊的美感与意境，超乎自然，巧夺天工了。

古人总是说王维“诗中有画，画中有诗”，那是因为王维的诗与画都浸润了一种人文渗透自然的理念，在山水之间寻觅“天人合一”的美感经验。其实，也不止于诗与画，他的《山中与裴迪秀才书》是篇散文，也同样洋溢着天籁与人文灵气交融的乐音，其中有诗，有画，还有乐。他写自己回到山中的辋川别业，想到相契的好友裴迪，不禁说起自己在冬夜独处山林，想到过去携手赋诗的情景："北涉玄灞，清月映郭，夜登华子冈，辋水沦涟，与月上下。寒山远火，明灭林外，深巷寒犬，吠声如豹，村墟夜舂，复与疏钟相间。此时独坐，僮仆静默。多思曩昔，携手赋诗，步仄迳临清流也。当待春中，草木蔓发，春山可望，轻鯈出水，白鸥矫翼，露湿青皋，麦陇朝雊。斯之不远，傥能从我游乎！"从冬日园景的寂寥，想到友情的温暖，再联想"冬天来了，春天还会远吗"，然后就想到春日草木葳蕤，鸢飞鱼跃，希望好友能够一道游赏。

王维所写的山林之乐，长期以来影响了中国文人雅士的想象。对空间审美安排的格局，从具体的建筑景观，上升到精神境界的营造，在追求自然与人文和谐相融的过程中，通过叠山理水，顺着自然原有的状势，再造自然。所谓叠山理水，巧夺天工，就如陆游说的"文章本天成，妙手偶得之”，是顺应天然形势的再造，而能唤起人们对空间适意的美感呼应。

二

王维描绘出的山林逸趣，充满了人文情致，这在王羲之的《兰亭集序》中也可看到。王羲之写兰亭修禊，在稍加人工点缀的山林之中，“群贤毕至，少长咸集。此地有崇山峻岭，茂林修竹。又有清流激湍，映带左右。引以为流觞曲水，列坐其次。虽无丝竹管弦之盛，一觞一咏亦足以畅訏幽情”。在这种人文荟萃的气氛之中，因为人间情趣的回荡，化郊野山林为亭园胜景，“所以游目骋怀，足以极视听之娱。信可乐也”。可乐的，不是大自然的蛮荒美丽，不是令人惊愕敬畏的深山幽壑，而是可以吟咏作诗、可以饮酒为欢的亭园山林，是可以提供温馨家园别业感觉的风景。

王羲之所写的兰亭，野趣尚多，人工较少。比他早半个世纪的石崇，建造河阳别业金谷园时，叠山理水的规模就比较壮观了：“其制宅也，却阻长堤，前临清渠，柏木几于万株，流水周于舍下。有观阁池沼，多养鱼鸟。家素习技，颇有秦赵之声。出则以游目弋钓为事，入则有琴书之娱。”（石崇《思归引序》）这可能是承继秦汉以来宫廷及贵族营造园苑的余绪，但是，石崇明确指出，他造园的目的在于退隐，在于摆脱权位所带来的人间烦恼，在于回归自然，则与皇室勋贵那种圈地炫耀式的御苑不同。他在《游金谷序》中说到，建成金谷园，林泉果树俱有，鸡猪鹅鸭毕备，物质享受的条件充裕。有朋友来了，便可“昼夜游宴，屡迁其坐，或登高临下，或列坐水滨”。既可欣赏音乐鼓吹，又可饮酒赋诗，以消永日。

从石崇到王羲之，再到王维，可以见到私家园林营造，从魏晋到盛唐的发展，有着个人主体精神展现的深化，与山水诗和山水画的发展脉络，若合符节。其中最重要的演化过程，就是出现了以个人为主体的审美意识。把个人对周遭环境的适意感知，发展成对于外界自然空间的客观认识之基础，藉着“天人合一”的思维架构，内化为人与自然关系和谐的审美意识，再投射出去，叠山理水，以人文精神融入自然，再造自然，同时也重新构筑了人与自然的关系。

三

这种从园林的小天地得窥宇宙自然奥秘的思维脉络，从魏晋人文醒觉以来，一直发展不断，经历唐宋元明清，形成中国园林美学的人文特色。明末计成在《园冶》的自序中，就明确表白，他对园林设计的美学基础来自关仝与荆浩。其实，配合稍早的董其昌提倡文人画，努力建构以王维为先导的南宗画派之说来看，计成心目中的造园圭臬，就是这种人文化的叠山理水理论。

计成在《园冶·园说》一章里，综论园林的特色，一开头就说：“凡结林园，无分村郭，地偏为胜，开林择剪蓬蒿，景到随机，在涧共修兰芷。”这里显示的造园思想，关键在

"地偏为胜"与"景到随机"。

"地偏为胜"就是摒除混杂人间的污染与干扰，在自己构筑的天地里享山林之乐。王维在山中建辋川别业与石崇在林野修金谷园，都是这个意思。文震亨《长物志》一开头讲"室庐"，也是同样的意思。不过，文震亨与计成一样，都是明末的苏州人，生活在市廛繁华的苏州，如何在喧闹繁荣的都市之中找到一片"地偏"的园林小天地呢？

文震亨告诉我们，有办法：

> 居山水间者为上，村居次之，郊居又次之。吾侪纵不能栖岩止谷，追绮园之踪，而混迹廛市，要须门庭雅洁，室庐清靓。亭台具旷士之怀，斋阁有幽人之致。又当种佳木怪箨，陈金石图书。令居之者忘老，寓之者忘归，游之者忘倦。

当幽居山林已经不实际或不可能的时候，就要在都市中创造一片属于自己的天地，要有"旷士之怀"与"幽人之致”，发挥文人雅士在空间想象中的审美调度能力，叠山理水，构筑出一片恬静幽雅的山水。

明清以来的苏州园林，隐藏在都市的巷陌之中，迂回婉转，小巧玲珑，有山有水，就是为了拥有一片自己的天空与山林，可以调养隐遁的林泉之致。

四

如何在市廛之中找到一片隙地，又得以转化成充满了天然情趣的园林呢？关键就在于计成说的“景到随机”，要顺着天然的势态，随机应变，“虽由人作，宛自天开”。计成《园冶》整本书分析探讨了造园的妙诀，而今天尚存于世的江南园林，特别是苏州园林，就具体展现了这种城市山林的风貌。陈从周曾以“后花园的美学”来形容苏州园林的特征，又引《红楼梦》所营造的真真假假，假假真真，假中有真，真中有假，来说明园林美学的虚实相间，阴阳相济，蕴涵着中国文化的精髓。

计成在《园冶》的自序里，谈到自己造园的经验，说有人在城东得了十五亩地，请他设计园林。他先观察地形，发现地基很高，又寻究水源，发现水源很深，有高大参天的乔木，又有低垂盘虬拂地的树枝。于是，他决定因地制宜，藉着天然的条件，突出山水画中的奇兀野趣。他不仅叠石让高地更高，又顺势挖土让低地更低。如此，“令乔木参差山腰，蟠根嵌石，宛若画意。依山而上，构亭台错落地面，篆壑飞廊，想出意外”。计成对自己的设计十分满意，认为这种因自然之势构筑的“画意”，创造了一片新天地。

五

苏州园林是目前存世最精彩的一批中国私家园林。联合国教科文组织评定世界文化遗产，首先选择了拙政园、留园、网师园、环秀山庄，后来又接着列出沧浪亭、狮子林、艺圃等处。这些园林已经经历了许多沧桑，不复旧貌，特别是减少了山林野趣，而成了精致的游赏性花园了。但

文徵明《拙政园图册》之槐雨亭

是，其建构的基本精神还在。还可从中体会中国园林纳天地于园庭的审美意向；徜徉在弯曲回转的小径，得到“山重水复疑无路，柳暗花明又一村”的惊喜；歇憩在叠垒的假山一角，看清流潺潺流入深潭，缅想“行到水穷处，坐看云起时”的闲适境界。这的确是中国传统美学最精粹而又最具体的呈现。

香港城市大学中国文化中心与苏州古典园林单位华艺文化（原苏州园林局设计院）合作策划的“叠山理水——苏州园林艺术展”，在香港城大艺廊举行，就是希望带领香港城市大学的师生及社会人士走进这一片美妙的空间，并从中体会园林构筑的艺术天地。

“造化与心源”展览序

一

这一年多以来，为了办好深圳博物馆与香港城市大学的合作项目，我多次造访深圳博物馆。承王璧馆长及工作人员盛情接待，得以进入库房观赏藏品，一次次为之惊艳。犹记得初次观赏书画之时，看到赵备的《万竿烟雨图卷》，觉得那一竿竿随风摇曳的修竹充满了灵动之气，好像在展阅之间带来了一阵清风。正在那里陶然自得，馆长说，还有祝允明、董其昌的书法长卷呢，也看看吧？

工作人员从库房里抱出一批卷轴，有祝允明、汪道昆（后辨明为郑天鹏）、茅坤、董其昌等，真是琳琅满目，应接不暇。祝允明的字放浪形骸，变化多端，乍看令人神思纷乱，细看却感到其中跳掷叱咤之态，引人入胜。董其昌的字则娟秀之中不失潇洒，如行云流水又不失规矩，是明清文人的主流气质。郑天鹏与茅坤的两卷，也各有特色，显示了书家的个人风格。

我当时就说，祝允明与董其昌的书迹，一狂一狷，一个是掀天动地想造反，一个是潇洒风流正当权，正好反映了明清文人在艺术创造上的两种面向，一定要展出。郑天鹏与茅坤也好，最好一并展出。王馆长很客气地问了一声，若是都展出，是否办个书画卷轴展呢？

这一问把我问醒了，让我清楚认识到深圳博物馆书画藏品相当丰富，而香港城市大学艺廊的展览场地有限。以有限的空间展示丰富的收藏，非有别择不可，而且还得表现清楚的主题，就不得不舍弃一些精品。虽然十分不情愿，但现实如此，也只能割爱了。单就我心仪的长卷而言，赵备的《万竿烟雨图卷》及茅坤的书迹，因此没能前来香港展出，是为一憾。

二

香港城市大学艺廊的设计，适合展出直轴，特别是大件挂轴，因此，我们便选取了两幅明代的摹古大画，一是《文会图轴》(195 cm × 136 cm)，一是《云岭飞瀑图轴》(321 cm × 144 cm)。虽然是摹古，却都在复古之中追求艺术家本人的理想风格与想象世界。《文会图》题材有其长远的传统，绘画史上常见，但士大夫为官之余有文会之举，展现上层社会的闲情逸致，反映唐宋以至明清的真实生活，是有活生生的现实样本的。看看这些学士的意态，栩栩如生，可知其样本源自画家本身的时代，而非盲目摹仿古画的产品。《云岭飞瀑图》，虽然展现北宋山水的磅礴大气，但层丛叠嶂隐约在扑朔迷离的烟岚之中，却与荆关董巨的沉郁坚实山体不同。云海飘渺中的仙山楼阁，是晚明的嵚奇古怪风格，像是吴彬的手笔，在摹古之中寻求创新，描绘出前人所未见的梦幻山水。

其实，明清画家仿古，经常都能自出机杼，在“传移摹写”之中，体会前人经典的精神，揣摩造化的安排，通过自身的艺术心源，创造承继传统又能展现自己风格的作品。此次展出的徐枋《仿巨然山水图》、汪琎《竹林清夏图》（仿赵孟頫）、黎简《奇峰古刹图》（仿王蒙），都藉着古人的笔墨技法与山石布局的格式，展现了独特的个人风格。因此，仿古而不似，并非摹拟的功力不够，而是本意不在复制，是借古人酒杯，浇自己的艺术勃发之块垒。

值得一提的是，这次展出的画迹，有许多都是岭南画家的作品，这或许与商承祚有意收藏有关。高俨是广东新会人，吕翔籍贯顺德，黎简也是顺德，谢兰生是南海人，熊景星亦为南海，伍学藻为顺德，苏六朋是罗浮，居廉为番禺，招子庸是南海，罗岸先为番禺。由此亦可一觇广东画风之盛，并可得见书画传统之承递。最值得注意的是，黎简上承宋元遗绪，苏六朋别开生面，以及居廉肇始岭南画派新风。

三

此次展览最精彩的还是书法。祝允明与董其昌的书迹不用说了，就是王铎的《行书五言忏诗》、王了望的《行草诗》，光鹫、陈邦彦、黄慎、梁同书、王文治、伊秉绶、何绍基等人的作品，都是精彩夺目，令人徘徊流连。其实，深圳市博物馆还藏有一些近代书家作品，也是赏心悦目，令人难舍的，如吴大澂、吴昌硕、章炳麟与黄宾虹的篆书，康有为与梁启超的对联，也因为展览空间的限制，只好割爱。

现在的大学生因为缺乏书法的训练，在欣赏书迹上也有隔阂，尤其对于草书的淋漓泼洒难以理解。年轻人看到汉字，不是书报的印刷体，就是计算机植字的整齐划一格式，不太能够通过一篇看不懂的文字来体会书法的创作心境与艺术成品。我希望青年学子先撇开读不通的窒碍心情，不要以其难懂就弃之如敝屣，先换一种心态来欣赏。假如年轻人愿意驻足在西方大师的抽象画之前，如杰克逊·波洛克（Jackson Pollock），如弗朗兹·克莱因（Franz Kline），而能耐心欣赏，为什么不能沉下心来，仔细欣赏祝枝山恣肆狂放的笔触呢？

姑且随手拈出一例，看看祝允明书《晚晴赋》末尾五行：“不可得而状也。若予／者，则谓何如。倒冠／落珮兮，与世阔疏。敖敖／休休兮，真徇其愚而隐／居者乎？”这五行字恣肆奔放，如黄河之水天上来，奔流到海不复回，又如千军万马，交战沙场，剑矢交错，却有人高唱，醉卧沙场君莫笑，古来征战几人还。这种豪放的意气，通过笔墨的流动，跃然纸上。请特别注意第一行的“而状也”，第二行的“何如倒冠”，第三行的“落珮兮”，第四行的“徇其愚而隐”，第五行的“居者乎”。多看几眼，你就能体会什么是笔墨的天籁，为什么书法也可以“师从造化，得之心源”，而能呈现艺术感染的力度，震撼人心了。

明末清初的绘画与中国思想文化
——评高居翰的《气势撼人》

一部学术著作的出版，能够在学术界特别引人注目，甚至引起广泛的讨论，一般来说，往往具有以下三种特色，或居其一，或在不同程度上兼而有之：一、书中所提出的问题与探讨方法，为研究领域开展创新的方向，在学术史上有开拓之功；二、书中对某一专题的分析讨论，大别于通行之说，而能在充分掌握资料的情况下，自成一家之言；三、书中对某一专题的研究，发现了前人未见的材料，因而基本解决一些众说纷纭的学术争论。高居翰（James Cahill）的这本书，自出版以后，颇受人瞩目，主要即因提出了中国美术史研究上的重大问题，涉及以后如何开展研究方向，如何使美术史走出文物鉴定的狭窄范围。这个问题即是，美术史的研究要联系文化史及思想史的广阔天地，要成为整体性研究过去文化遗产的一门学问。

研究美术史，要联系到文化史的范畴，在纯粹的理论探讨上，大约是不会有人反对的。可是，一旦涉及实际的专题研究，美术史工作者就面临了具体的问题：如何联系？对大多数的美术史家来说，关键不在于指出某一时代画风的流变，与当时思想文化的变动乃至于社会经济状况的变动有所关注；关键在于，如何具体呈现这种关联？因此，在实际从事美术史专题研究方面，许多学者感到尚不能掌握具体联系的脉络，便不肯进行这方面的探索，以免徒劳无功，或止于重申空洞的信念。

高居翰当然也认识到这个联系问题的复杂与困难，但仍锲而不舍，在中国绘画史的研究上，对此重大问题进行了具体的探索。本书便以明末清初画风的递变为焦点，联系当时社会文化思想潮的变动，企图具体呈现明清绘画在广阔的文化史层面的意义。这种努力与气魄，是值得特别赞扬的。

对于这个联系问题的研究方法，高居翰一直再三思索。他的一篇论文《明清画风作为思想观念》(*Style as Idea in Ming-Ch'ing Painting*)，就藉着对思想史家 Joseph R. Levenson 的批判，提出了他的系统看法，认为关键在于掌握画风的流变，以此作为联系思想文化史的环节。他的观点，在一九八一年与班宗华(Richard Barnhart)及 Howard Rogers 的辩论通讯中，表达得更为清楚。主要就是重申联系画风与其他社会现实，并且强调这种探索的必要及面临的一些具体的问题。

从高居翰这篇理论性的论文(收入纪念 Levenson 论文集《莫扎特式的历史家》[*The Mozartian Historian*, Berkeley，1976]及他的辩论通讯[*Barnhart-Cahill-Rogers Correspondence*，1981, Berkeley，1982])，可以看出，高居翰认为中国绘画史研究，在方法上，有三个主要阶段：第一个阶段是传统的绘画史，研究画家的生平与社会背景，企图以文献资料作为探讨绘画史的主体；第二个阶段是对绘画本身风格的研究，强调绘画实体所呈现的艺术意义，在这方面，罗越(Max Loehr)的努力与贡献最大；第三个阶段，则是目前的创新阶段，主要在总结前两个阶段的成绩基础上，藉着掌握艺术风格的流变，来探索绘画在文化思想史上的意义。显而易见，高居翰本人再三致意之处，即是开创这个中国绘画史研究的新局面。若以德国古典哲学认识论的语言来说，这个学术研究的发展过程，是“正反合”的回旋进展。若以禅宗的语言来说，则是“看山是山，看山不是山，看山又是山”的经验体认过程。

高居翰的一些观点，在他一系列研究论述中国绘画史的著作中，已见端倪。由 *Hills Beyond a River*（1976）, *Parting at the Shore*（1978）到 *The Distant Mountains*（1982），我们都可以看到高居翰在努力开拓中国绘画史研究的新阶段。本书是由他在一九七九年三月至四月，在哈佛大学作的一系列演讲，整理改定而成，最集中体现他的看法，可说是他把理论付诸实践的样本。在本书中，他明确指出，在探讨十七世纪明清绘画时，不但要剖析画面本身，还要联系到当时社会文化背景，以就此深入了解明清绘画所追求探索的极致，由此得窥绘画艺术在当时文化领域所扮演的特殊角色。

由于本书不但是绘画史专题研究，而且在涉及如何联系文化史及美术史的重大课题，所以值得认真详细讨论。再因本书的细部分析及证据罗列，并不止是单纯就一细部问题提供资料，而旨在呈现联系方法的范例，我们对这些资料的采用及分析探讨方法的范例，我们对这些资料的采用及分析探讨方式也因此要慎重考虑，并拟提出一些不同看法，以期理清问题。

以下，本文分作两部分，对此书进行介绍批评。第一部分，循本书章节排列，述介书中涉及的观点；第二部分，则对书中的一些分析观点，提出异议或商榷意见。

一

本书一开头，高居翰就选择十七世纪中国绘画作为探索的焦点，提出了一番说明。他认为，十七世纪的中国绘画，不但有其独特的美感，还有一种震撼人心的气势与魄力。中国绘画扬弃唐宋传统的趋势，虽然在元画就已开其端，但到了明末清初才发展至极。这是当时画家对本身集成传统的自觉再造，因此，绘画便与文化背景和社会价值有密切难分的关系。讨论这个时期的绘画，便离不开文化主体；而要了解当时文化发展的状况，绘画也就提供了一个清晰的断面。

高居翰注意到近十余年来西方史学界对明末清初社会经济思潮演变的研究，认为明末思想的新趋向，如李贽及所谓“狂禅”思想，衍生了社会思想中新生的价值观念，也就不可避免地影响到绘画的风格。在这种社会文化环境之中，画家受到文化变动的冲击，也因此而产生前所未有的反应，在绘画之中探索新的画风。在这样趋向多元性的文化思潮发展中，西方的影响是一个不可抹煞的因素，特别是耶稣会士来华所带来的西方观念与视觉艺术的资料，更在当时画风演变上有重大意义。

高居翰在本书第一章最先列举的绘画实例，是张宏（1580–1660）的《句曲松风图》（图 1）和董其昌（1555–1636）的《青弁图》。以这两幅画作为对比，作者是有其特殊用意的，因为这两幅画所呈现的不同画风，反映了十七世纪中国绘画活动在江南的两个主要流派：苏州画派与松江画派。

图1　张宏《句曲松风图》，波士顿美术馆藏

《句曲松风图》表现出苏州画派对自然的观察摹写，不拘于古人的成法；《青弁图》则反映以董其昌为首的松江画派，以仿古为鹄的，谨守传统大师的规矩方圆。

高居翰认为，中国绘画理论，至董其昌为一总结，出现所谓南北宗论、正统说，及行家利家之分，从此论绘画者皆因袭其说。单就中国绘画的本身实质来说，却与理论有相当的距离。作者特别提醒我们，中国山水画发展到十七世纪，已经产生了作画本质与追求目的之流别，不止是立论不同了，因此在表现手法上遂由此而差异。比如《青弁图》在求古意，而《句曲松风图》则表现真实的地貌风光。

作者还借着张宏作品的特色，申论中国绘画发展的一个现象，指出早期的大家作山水画时，并未刻意塑造典型，而多受特殊地貌环境的影响。如董源的江南风光，李成、郭熙的山东丘壑陵谷，赵孟頫的《鹊华秋色》，黄公望的《富春山居》，都与实有的地貌环境有关。直到倪瓒作画，才以单一构图模式来表现自然景象，只在题款中对画中地点做一说明。此后画家争相仿效，山水画遂成为一种抽样的定型心像。到了十五世纪沈周之时，苏州画派虽然以当地景物为题材，画面上的亭台寺庙却不着重呈现其真实外貌，反倒超越了外貌，更重表现文史与宗教传统的联想。作者特别列举出吴派画家陆治（1496–1576）及卞文瑜（约1620–1670）的山水画及一些木刻资料来说明这个现象。

作者回顾中国绘画史发展，目的在点出张宏山水画的异趣。他指出，张宏的《石屑图》不同于陆治的《支硎山图》之处，是张宏对大自然的实貌有强烈的感受。作者一再强调，张宏的山水画不但在整体构图上超越传统山水画的理念，在设色用笔上也极为写实，令人瞪目。

高居翰特别标出张宏绘画的写实特色之处，便推论出，张宏的自然主义趋向可能是受到西方视觉艺术的影响。张宏大概是没有见过西方的墨彩，但可能看过耶稣会士带到中国的书册版画。高居翰特别举了张宏的两幅册页与当时的欧洲

图 2　张宏《山水》，取自《越中十景》册，奈良大和文华馆藏

图 3　张宏《山水》，取自《越中十景》册

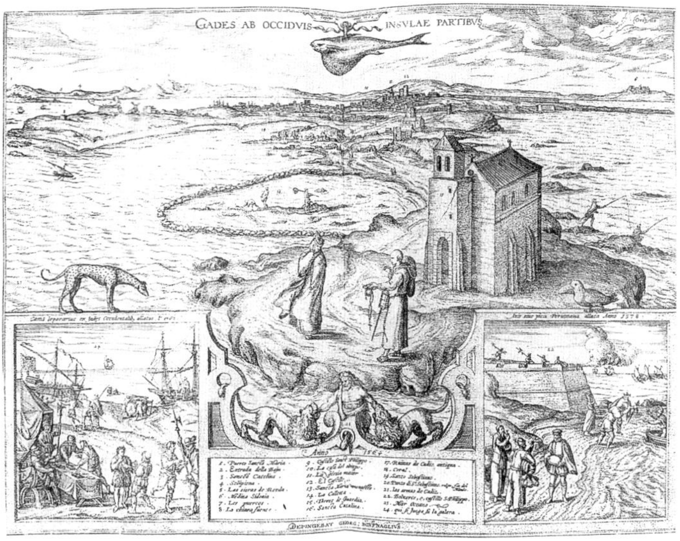

图 4　佚名《歌蒂斯城景观》，取自布劳恩与霍根贝格编纂《全球城色》

版画作比，认为张宏在构图及透视方面，有意识地自欧洲版画中汲取新的观念。作者由此推出了几点总结：一、张宏对欧洲山水构图有相当程度的认识；二、张宏本身有足够的艺术修养来承纳西方影响，使他能够由中国山水画的传统中脱颖而出；三、张宏继续不断追索大自然实体的特质，并在他的新山水画中拓展了视觉艺术的新天地。

高居翰在第一章中对张宏画风的特色再三致意，目的就是要说明这种新生因素的来源是外在的，而且是来自欧洲的影响。要比较全面地了解十七世纪中国绘画的创新与突破，也就必须认识来自欧洲的影响是如何深刻地冲击了中国的画风。

第二章讨论的是董其昌。作者在本章内论述董氏其人、其画，及其画风。其人部分，仅简略介绍生平；其画部分，则为本章重点，多集中在董氏仿古的技巧与精神，探讨他如何继承传统；论述画论部分，则多引用介绍近人在这方面的研究成果。

由于董其昌与明末绘画理论的发展有直接密切关系，所涉甚广，作者另在 *The Distant Mountains* 详为讨论，读者当可参看。在本书中，高居翰只一再指出，董其昌的画论，涉及明末流行的阳明心学，并与当时的社会、政治、文学各个方面的发展状态有关。在另一方面，董氏的画论也相应影响当时各个社会文化层面。作者在此比较着意讨论的是“写意”与“写实”的分际，并有意识地回到张宏的作品，以之作为董其昌的对比。

就董其昌绘画本身着眼，高居翰认为，他的作品与画论之间有一段距离。作者引了董其昌在《画记》（收于《容台笔记》）中的一段话："画家以古人为师，已是上乘。进此当以天地为师，每每朝看云气变幻……看得熟自然传神。传神者必以形，形与心手相凑而相忘，神之所托也。"然后提出一个疑问：董其昌自己的画，到底是传的什么神？高居翰认为，董其昌的绘画根本与外在的大自然脱离了关系，而是脱胎于自然净化升华之后的美感结构。本章所选的图片与讨论，大体上即在丰富这个论点。我们可以看到，高居翰在此强调的论点，与方闻的《董其昌与正宗派绘画理论》（1968）一文所说："董其昌视山水画的章法为抽象的结构……新的解析形却带来了结构设计上无限的可能性……"（《故宫季刊》，二卷三期），是相当类似的。

本章最重要的环节，是探讨董其昌"仿古"的精神与技巧。高居翰认为，董氏在一六一七年作的仿董源《青弁图》是个代表，并指出，董其昌经过青弁山时想起曾见过赵孟頫及王蒙所作的青弁山图，意示这幅仿董源之作还有赵王的痕迹。高居翰还指出，备受董其昌推崇的黄公望，也可在这幅画中揣摸出影迹。作者于此特别以图例分析《富春山居图》中堆砌矗叠的山石与层峦林木之排列，显示《青弁图》的结构安排，与此实有异曲同工之妙。可见董其昌的仿古写意，自传统脱胎而出，其来有自的。

作者反复指出，董其昌仿古，仿的是神，而不是形。如董其昌仿卢鸿《草堂图》，仿赵孟頫《水春图》，仿王维《雪景图》，在构图及笔法上都能自出机杼，发展出新的艺术美感。作者认为，这是一种创造性的模仿，可以在现代西方艺术发展中找到类似的例子，如毕加索的绘画、庞德的诗、史特拉文斯基的音乐，都是取材于传统，而有所创新。

第三章主要是谈吴彬（约 1568–1621）的画，以及欧洲视觉艺术对十七世纪中国画家的影响。高居翰认为这个影响是两方面的，直接的影响是画家由西洋画的透视构图汲取新的因素，间接的影响则是导致北宋写实倾向的复兴。高居翰的西洋视觉艺术影响论，在本章中发挥得淋漓尽致。

吴彬是福建人，早年可能与西洋人有过接触，于十六世纪七十年代到南京担任内廷画家，有可能接触过耶稣会士，也有可能见过耶稣会士带来的西洋图片。作者推测，吴彬可能还被万历皇帝指派为描摹西洋画的工作者之一。

基于这些可能，作者认为吴彬的画必然受到西洋画的影响，并列举一些吴彬作品，与十七世纪初传到中国的一些西洋版画对照。高居翰特别强调一张 *View of Urbs Campensis* 的西洋版画，在第一章内他拿来与张宏的两幅册页对比，在本章内又举以对照吴彬的《端午图》，旨在表明这几幅画中前景与后景有清楚的大小之别，给予读者一种单线透视的远近感，是西洋的影响。作者还举出西洋版画中的鸟瞰图与邵弥的鸟瞰册页，也是企图证明西洋版画对中国画风的影响。

除吴彬之外，本章还讨论了赵左（约活动于 1610–1630）、沈士充（约 1611–1640）、邵弥（约 1620–1660）等人的画，指出构图及画面处理上的新颖之处。高居翰常用“渐隐”（fadeout）技法来形容这些画家的笔法，认为这是受了西洋画影响的结果。

在本章中，高居翰对西洋版画传入中国所引起的间接影响，也作了论述。他认为十七世纪山水画有恢复北宋写实倾向的现象，但此时绘画画面的排比结构有堆砌之感、山石的明暗处理对照强烈，则是由于此时中国画家受西洋版画镂刻的立体感影响的现象。因此，若说十七世纪中国山水画有趋向立体感的现象，类似恢复北宋时期的石见三面之法，其实是因为此时的画家接受了西方绘画技巧的缘故。

高居翰更把西洋影响的论点，联系到十七世纪中西文化接触这一课题，指出是一个文化变革大潮流中的一个侧面。赵左、邵弥等人的新画风，就是在这西风东渐的新环境中产生的。

第四章论述的是人物画，以陈洪绶（1598–1652）为代表，着重探讨晚明人物画的特征，尤其是探讨画家借画面所呈现的内在心态活动。以本章详为讨论的《贺天章图》卷为例，作者就说明了画家的理念世界与身处的现实世界有着如何的矛盾冲突，而画家又如何在艺术创作上协调这种矛盾冲突，完成统一的画面。

本章前半段论述了中国人物画的发展，从五世纪的“竹林七贤”壁画拓本，历述周昉、马麟、牧谿、沈周诸家作品，指出，无论是肖像人物、生活写实，或山水画的人物点缀，画中的人物不是写实即是写生，与明末人物画的出现扭曲变形人物，大相径庭。人物本身在画面上的放大或缩小，都反映了画家在感性层面的表态，藉此可见画家心境。

本章所论人物画，还包括了拟人化的禽鸟，例如陈洪绶的《老树双禽图》及朱耷的《鹌鹑图》，所要表现的就不是自然界的禽鸟生态，而是拟人的惊诧、疑惑与彷徨的心境，从画中鸟的眼神表露无遗。同样的表述方法，在丁云鹏与盛茂烨的《山水罗汉图》也可发现。画中的罗汉或睁眼直视、或闭目养神、或低眉沉思、或微眯双目，各有其意态，因此而表达出不同的心境与意义。当然，我们也可以在早期的人物画中，发现着意刻画面部表情的作品，譬如宋刘松年的《天女献花图》，但像明末人物画这种专注于特殊神态的表现，甚至扭曲变形以呈现其内涵意义的手法，确是前所未有的。

作者还论及晚明文士对魏晋风度的向往，这在陈洪绶的人物画题材中也是频然出现的。如《文会图》，大概画的就是袁宗道、袁宏道兄弟组织的葡萄社雅集。再如《竹林七贤图》及《陶渊明归乡图》，都反映出对魏晋隐逸的向往。

本章没有提到西洋画的影响，而专注于明末知识分子面临思想文化传统解体的危机所产生的各种心理反应。作者以陈洪绶为中心，探讨了当时画坛的一些人物，显示他们不愿同流合污，又不能摆脱传统习俗的桎梏，故在卖画为生、自食其力的情况下，在画面中发泄满腔愤懑与无奈，形成了当时人物画的一种特殊风格。

第五章讨论的是弘仁（1610–1663）和龚贤（约 1617–1689）画中的独特风格，在当时画家求变的风气中，脱颖而出，成为“个人主义”或“适性主义画家”（Individualists）的两个代表人物。

在前几章，讨论的是十七世纪前期画家所开创的新技巧、新局面，到了中期以后，画家已意识到新局面的存在，做出自觉的选择，得以更深一层去诠释自然，作风更大胆，而描绘得更细致。作者指出，在十七世纪中期，一些画家的山水构筑，似乎建基在不甚稳固扎实的线条上。这种新的绘画程式，并非否认自然，而是企图在画中改造自然。

这种以独特风格，在画中改造自然的趋向，在弘仁的作品中，可以清楚看到。弘仁的山水画，表现出风格与自然的对抗（style vs. nature），在画面结构上显示了探讨如何承袭传统规范的努力。由弘仁山水画的布局，可以看出早期大师如范宽、燕文贵、黄公望及明初陆广等影响。在主题呈现方面，弘仁所表现的是黄山与武夷山的峭拔，虽然呈现两种不同的地理现象，却在艺术表现上是划一的。这种现象表示，弘仁的山水画呈现他对自然深刻体认之后的一贯执着，而特别值得注意的是，他的一贯执着源自地方性画派的发展。

作者选出弘仁的《武夷山水图》轴为代表，解说画中的山川大泽与其他几幅山水有一共同点，即是均为追忆而非写生。因追忆而作画，就给画家在创作想象上极大的自由。读画的人所应当留意的，不是去拼凑画面上的山水形象，而应当去了解弘仁所要表达的艺术体认。

作者还提到个人主义画风发展的两种背景，一是政治性的，一是绘画本身发展。在政治方面，明遗民画家的生活选择就与服侍满清新贵的画家不同，前者多成为个人主义画家，而后者则成为所谓“正统派”。作者说：“绘画的个人主义作风，即是一种选择如何扮演社会角色的表态。”然而，个人主义画风的发展，还有一个绘画传统本身的背景，特别是董其昌摆脱传统桎梏，对形式与空间所做的抽象变化形成的影响。在龚贤的画中，我们可以发现这两种背景的痕迹。

龚贤山水画独特之处，是在表达自然景观上，做抽象的处理，但又不脱离外在的真实，这与董其昌山水的基本精神是相为某合的。作者列举多幅龚贤作品，说明龚贤在画面上对自然景物的排比及明暗层面的处理，学的是北宋山石画法的不二法门——层层脱染笔墨皴法。但作者在此强调的，不是北宋传统画风的影响，而是西方版画对龚贤的影响。作者列举了许多西洋版画，来与龚贤的册页对比，企图指实影响的痕迹。作者更举龚贤的名作《千岩万壑图》，与一幅西洋版画对比，指出，不但构图布局相似，画面的明暗处理与对比也有巧合之处，暗示龚贤这幅名迹是因袭自西洋版画的。

第六章的标题是“王原祁和道济：有法与无法的极致”。读者由题目便可契会作者之意：王原祁是有法可循的大家风范，道济则多无迹可觅的神来之笔。

作者引当时画家对画坛的观察，来说明王原祁（1642–1715）和道济（1642–1708）所生活的时代，画派纷出，标新立异，而又赝品充斥，扰人耳目。画家处于这种错综复杂的环境，要能有所建立，不受外界干扰，必须有其立身之道。道济所强调的“我用我法”与王原祁的集传统之大成，就是当时画家艺术探索的两种典型。

高居翰在讨论王原祁的部分，追溯到他的祖父王时敏，清楚表明王原祁与董其昌以降正统画派的关系。作者并深入讨论王原祁的《辋川图》卷，认为王原祁在这幅名作上显示，并非承袭某种单一狭窄的“正统”，而是融会了中国绘画传统的多样法则，达到“理”与“趣”的协调，这显示王原祁能够学到董其昌的真髓。

作者在解说董其昌与王原祁追索的“法”时，简略提到传统风水观念、龙脉走向等。意在点出，董王对绘画的体认是坚持自然之理与绘画之法有着不可分割的关系。然而，董王的山水画中，又有一种和自然和谐反其道而行的艺术力量，结果就能造成一种撼动人心的气势。

作者在论述道济的部分，以编年体裁将道济一生作画史实分成几个阶段。由画家落脚安徽开始，一六六〇年至一六八〇年间作画深具地方色彩。此后迁往南京附近，因而得识龚贤，颇受影响。高居翰举出道济在一六八五年所作的《万点恶墨图》卷为例，说明此卷可见龚贤湿笔走满画面的特色。高居翰更举作于一六八七年（现藏于上海博物馆）的立轴《细雨虬松图》，指出此时道济仍脱不出安徽画派的窠臼，甚至依稀可见弘仁的影子。在这第二个阶段，道济企图挣脱地方色彩及传统的束缚，显示了力求自我发展的挣扎痕迹。《黄山八景图》册页就是很好的例子。

自一六八七年道济迁至扬州之后，逐渐树立了独特的画风。一六九一年所作的册页数幅（现为东京私人收藏）最能显示画风的转变。此后，道济的画便开始摒弃旧传统而自立新法，把自己置身于前代大师之列，并意图有所超越。

作者在本章的结尾指出，道济的“我用我法”将中国绘画提升到一个新的境界，但并未开创一个新的局面，传后人得以循迹向前发展。中国绘画到十七世纪末，发展到了巅峰，画风显示出震撼人心的气势，但此后却一蹶不振，再也不复出现这样的辉煌局面了。

二

由以上的述介，我们可以看出，本书章节的安排是经过缜密思考，以期呈现主题论点。以张宏与董其昌的对照为始，王原祁与道济的对比为结，本书展示了十七世纪中国绘画艺术在风格上的探索，借着丰赡的图例，企图以风格递变的具体分析，来显示绘画与当时文化思想背景的联系。

从中国美术史研究的发展阶段来看，这种联系画风与时代背景的具体探索，的确是一种新的研究途径，使美术史家在分析比较艺术风格递变之时，考虑到艺术创作的内在活动与外在客观存在环境的关系。从这种努力探索的企图来说，高居翰比罗越往前跨进了一步，弥足称赞。但他在本书中对画风分析所作出的具体论断，能否呈现绘画与当时文化思想背景的联系，并进而达成他所企望的集大成之功，开拓学术研究的新天地，则值得再作讨论。

我们可以发现，高居翰在进行联系探索时，重点是放在画风分析上的，并认为这是美术史家的具体联系之道。对于这种联系广阔层面文化的重大问题，偏重某一方面的研究，本是不可避免，亦无可厚非的。高居翰从画风分析，进而探索如何联系广阔的文化思想层面，似乎是罗越风格分析法的一个延伸，目的却在跨出风格分析法的狭窄樊篱。他的用意相当明显，一方面要站在风格分析的具体扎实基础上，另一方面则是进而探讨广大文化层面的历史问题。然而，我们不禁要问，高居翰的设想，在本书中落实了没有？他以画风分析作为思想观念变化的看法，能否具体呈现出文化思想史上的联系？换句话问，高居翰这本书已经为我们在研究中国美术史开创了新途径吗？我们已经有了一个范本来进行新的探索了吗？

我们认为，高居翰的设想固然很好，在实际进行具体研究时却显示一些值得商榷的问题。以画风分析为探索联系之道，固然在理论上饶有兴味，值得我们注意，但本书在强调画风分析以探索文化思想范畴时，似乎就出现了“过犹不及”的偏差，从而导致了一些片面武断的论点，制造了一些混淆。要联系美术史与文化思想史，比较理想的研究途径应当是双面的，不但从艺术风格的递变下手分析，以窥当时文化思潮之变迁，还得对当时社会文化思潮有深入的了解，具体探讨画风递变究竟如何与文化思想背景有关。我们认为，只有双管齐下，才能开创新的研究领域。如此要求，并非强人所难，也不排除对风格分析的强调；如此要求，只是企盼进行联系探索的学者，在强调某一方面之时，不要顾此失彼，导致偏颇的论断。

在本书中，我们时常可以看到，高居翰企图跨出风格分析的讨论，对社会文化层面的意义再三致意。例如，第二章说到董其昌画论，便举王阳明心学的影响；第四章论述陈洪绶的变形人物，便提到明末清初社会动荡所造成的文化危机意识。这样的联系，在书中出现的时候，只是“蜻蜓点水”式的，虽然意识到阳明心学（思想史范畴）与明清之际社会文化结构的转型（社会文化史范畴）是联系画风递变的关键环节，却对此关键略而不论。客观的后果是，本书根本没有说清董其昌画论与阳明心学的具体关系是什么，也未曾清晰阐述明末人物画中变形人物的发展究竟如何受到当时社会变动的影响。换言之，我们在本书看到的“具体联系”，只是泛泛而论、夸夸其谈，并未看到具体有实迹可循的联系。

我们可以就董其昌的画论及画风，对此具体联系问题提出几点疑问。阳明心学发展到万历年间，已经出现遍布大江南北的三四传弟子，家派林立，众说纷纭。在思想探索上，各个不同支派对儒家传统的解释，对社会道德及价值观的看法，对个人生存在社会中的意义，在在都有争论。说董其昌的画论与阳明心学有关，到底是与阳明的哪一种看法或态度有关？与阳明支裔的哪一派或哪一集团的观点相关？若不研究清楚，而只是泛泛而论，岂不如同说“与宋明儒学有关”，或说“与中国文化有关”？这岂是进行联系研究的目的？再进而言之，董其昌的生活交游圈与万历年间文艺思潮的变化有紧密的关系。当时在文艺美学方面开创新说的人物，如李贽、汤显祖、袁氏兄弟等，都与他有密切的关系，在美学见解上也有相互沟通契合之处。若是我们意在联系董其昌的画论画风密切关系人物的美学思想，又岂可不要探索当时绘画美学与文艺美学之间的关联？

我们的质疑，乍看之下，似乎求全责备，但却是基于本书主题论点的两种考虑而提出的。第一种考虑是高居翰开拓美术史研究新领域的企图，如前所论。第二个考虑则是本书落实“风格即思想观念”此一理论的具体探讨。在本书第一章、第三章、第五章中，高居翰反复申说明末耶稣会士带来西洋版画的重要，冲击了中国画家的视觉概念，导生十七世纪中国画风的巨大变革。高居翰在书中企图表现，西方视觉艺术的构图及风格模式是外在的影响，直接而且具体地改变了中国画风，显示了中西文化接触时的广阔社会文化及思想变动。高居翰在本书虽未指实，但全书内容的客观呈现已经清楚表明他的态度，使我们读后感到中国在十七世纪出现了一个“视觉艺术革命”，而泉源是耶稣会士带来的西洋版画。

这个西洋版画导生视觉变革的看法，实是贯穿全书的核心论点，也是作者落实他联系理论的具体实证。然而，我们认为，这个核心论点在书中的呈现方式，至少有以下三大偏差，制造了一些混淆：一、明末的中国画家是否看过西洋版画，并无确切证据可知，仅是一种臆测。臆测也可能正确，但为求谨慎，最好还是清楚表明此系臆测，只能算是一种可能性，不当作为贯穿全书的核心论点。这是本书在论证方式上最大的问题，因为在臆测的基础上是建不起坚实的理论架构，修筑不了联系社会文化思想的坦途的。二、由于高居翰以西洋版画影响作为他的强调重点，在一些涉及文化思想联系的关键环节，就往往舍弃了真正重要的环节命题，而就便讨论他假想的西洋版画影响。这种买椟还珠的讨论方式，在第一章论张宏绘画时便已清楚暴露，值得在后面特别指出讨论。三、单就高居翰对比西洋版画与十七世纪某些中国山水画，并由此推测西洋版画影响的纯粹风格分析来说，亦有不少可议之处。针对他举出的一些对照例证，我们可以从万历年间的木刻版画及元明清绘画大师的作品中找到不少实

图5　张宏《山水》，取自《越中十景》册

图6　张宏《山水》，取自《越中十景》册

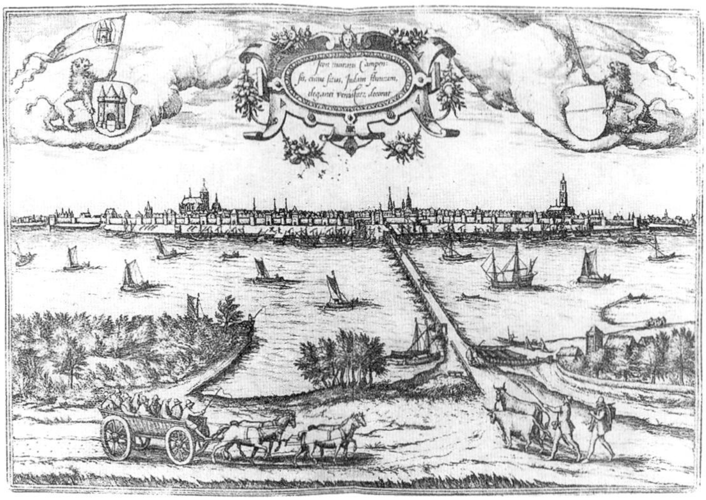

图 7　佚名《堪本西斯城景观》，取自布劳恩与霍根贝格编纂《全球城色》

例，以见构图及风格模式的承袭，这些出现在中国本土的视觉艺术作品，一来时代比西洋版画要早，二来在当时普遍流传，画家一定眼熟能详，绝不像西洋版画那样珍稀罕遘。在这种情况下，我们不禁要问：作者对本土影响可能性避而不谈，却长篇累牍讨论根本无法证实的西洋版画影响，这到底是怎么回事？是作者认为本土影响不重要？还是作者只一心想着证明自己的“风格即思想观念”理论，以开创新的研究方向，故此对本土影响也就视而不见了？

以下我们就对第二及第三点偏差，提出具体的异议。关于第二点，我们集中讨论张宏一章，以见高居翰如何避过关键的联系环节；关于第三点的风格分析，因为纯属视觉感受，我们拟举出一些图例，以见高居翰一味强调西洋版画影响之不当。讨论了这两点之后，关于本书论证方式的第一点偏差，不辨自明。

高居翰在本书一开头便举张宏的《句曲松风图》为代表，指出张宏画风的写实手法表现出自然主义之倾向。这一点观察颇具慧眼，点出张宏对自然的深刻认识，也说明了张宏作画技巧完全可以忠实呈现自然地貌。高居翰若能循着这个思路，探讨张宏画的自然主义倾向特色，如何有别于当时其他职业性画家，这个区别又在明末清初画风递变中有如何的意义，当会使我们看到张宏画风与当时社会文化环境相关的一些问题。譬如，这种强调写实手法的自然主义倾向，是当时一批苏州职业画家有意识的探索，还是职业画家顺应艺术市场需求的发展？若是有意识的创作探索，那是否反映了明末艺术生活的普及使得职业性画家在艺术探索上肯定个人生存的意义？若是顺应市场需求，是否从另一个角度反映明末社会的繁华造成了不同于文人写意传统的新的品赏趣味？这种发展和探索显然与明末清初文化艺术市场的情况有关，那么具体的关系是什么？

然而，高居翰不此之务，却在《句曲松风图》的画风分析之余，别出蹊径，认为张宏的艺术探索是有意识“呈现外在世界”，不同于一般中国画家传统呈现手法，反映了张宏受到西洋画风影响。在高居翰看来，这就是他“风格即思想观念”理论最具体的例证，显示了西洋画风如何影响中国画风，也就提出了研究绘画联系思想文化变动的实际范样，进入文化史研究的领域。

我们认为高居翰这种提法固然别具慧眼，却犯了“臆必固我”的毛病，对于《句曲松风图》的解释颇有值得商榷之处。高居翰认为，此图所写虽然是道教圣地句曲山（即茅山），画面却丝毫没有宗教的神秘气氛，只显示画家对自然景象的入微观察，并以自然主义的笔法呈现。如此呈现道教圣地，完全不突出陶弘景隐居此地的典故，足以证明张宏企图“呈现外在世界”的艺术探索。我们的看法则不同，认为高居翰读画只读了一半，把此画与文化思想联系的环节漏掉了。

此图主要可分为四个部分：第一部分是近景所绘溪谷、松林及屋宇，第二部分是中景的丘壑松林，第三部分是远景呈现的峻峭岭耸入云霄，第四部分则是在上角的题字。第一部分与第二部分连成一气，写松林溪壑，的确对大自然的观察是细致入微的，但也同时表现了陶弘景隐居的典故，这在张宏自己的题跋中也说到了：

> 句曲山，《真诰稽神枢》称第八洞，名金坛华阳之天，正贞白先生所隐处也。晚筑层楼自居，性爱松风。庭院多植松，每闻其响，欣然为荣。端己世兄常为余诵说，余仰止胸中有年矣。今年偶客金坛，馆于氏云林。望华阳山色，日在几席，余亦欣然乐之，因为端己兄图此。愧衰龄伎尽，无能仿佛先生高致于尺幅间耳。

不但关于陶弘景的隐居情况说得清楚，与《梁书》及《南史》的记载相同，还明白指出绘作此画，意在“仿佛先生高致于尺幅间”。此外，从此画第一部分的松林屋舍，亦可看出张宏作《句曲松风图》就是企图反映陶弘景隐居的典故。高居翰指出画中人物极不明显，表示张宏只注意外在的客观自然景色，不涉及与人物相关的主观意识。这个判断也嫌武断，因为我们不可忘记，张宏在此表达的是隐居于松林溪壑。人物完全融入大自然，成一和谐之整体，正是道家隐逸山林之意，并不是与中国文化思想无关，只着眼于大自然景貌呈现的纯自然主义倾向的画风。

若是我们再看此图的第三部分，更可发现强调张宏自然主义偏离中国画传统的片面。此图远景所画的句曲山峰，不但险峻陡峭，高入云霄，而且与中景之间，有一层飘逸恍惚的云气，隔断了趋即的道路，使得茅山山峰顶显得神秘飘渺，大有宗教的神秘气氛。在此必须指出，句曲山是南京东南连绵低缓的丘峦，最高的主峰不过五百二十米，是相当低矮的山头，绝对不像此图中的高峻挺拔。因此，张宏作此远景，其艺术目的当不在于“呈现外在世界”的（或是受到西洋画风影响的）自然主义，而是经过他主观想象加工，呈现出道教圣地的虚无缥缈的宗教神秘气氛，把低缓的丘陵拔高成了险峻的山峰。

张宏画《句曲松风图》，表现他对道教圣地的仰慕，反映了什么文化思想的关联呢？我们认为，这反映明末清初道教思想的普遍流行已深入民间及文化的各个层次。关于明代道教文化思想的研究，近年来柳存仁先生大有贡献。若高居翰真的企图联系绘画与文化思想层面，恐怕要对明末道教思想流布及其影响到民间文化生活（如小说戏剧、民间宗教信仰）作一番探索，不能略而不提的。

高居翰读《句曲松风图》这幅图，得此偏颇的论断，主要是因为他在全书隐伏着一个西洋版画影响中国画风的论点。在分析解释《句曲松风图》之后，高居翰便连续举出三套图片，企图以张宏的册页与时代稍早的西洋版画作构图及透视表现的对比，坐实西洋图画对张宏的影响。第一套图片是张宏作于一六三九年的《越中十景图》册页两幅（图 2、图 3）与可能在一六〇八年倾传到中国的一幅西洋版画（图

4）；第二套图片是《越中十景图》的另外两幅（图 5、图 6）与一幅西洋城池桥梁版画（图 7）；第三套，是张宏《止园图》册页（图 8）及西洋城池鸟瞰图（图 9）。意思很明显：张宏的构图取材自西洋版画。

图 8　张宏《止园全景》，取自《止园》册，柏林东方美术馆藏

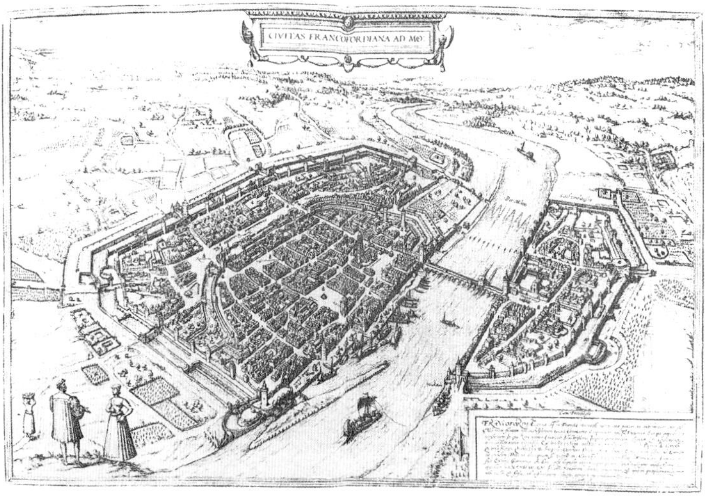

图 9　佚名《法兰克福景观》，取自布劳恩与霍根贝格编纂《全球城色》

假如高居翰能够举出确实的证据，证明这些版画不但在十七世纪初传入中国，而且在中国的画坛上流传，或是证明张宏确实见过这些版画，则是对“文化传布说”（cultural diffusionism）的一大贡献，甚至可以进而讨论耶稣会士来华如何改变了中国人的视觉概念。但在举不出确证的情况下，如此暗示，然后又引申说明，认为西洋版画传入，触发了十七世纪画风中震撼人心的气势，则难以令人信服。何况，上举的三套图例，在更早的中国本土绘画传统或版画中也可找到同类的构图例证。

例如，明万历二十四年（1596）刊刻的《百咏图谱》中，有一幅“新柳”版画，图分近景中景远景，不但透视观念清楚，而且中景之桥梁表现出由宽渐窄的明显透视构图。我们若再回头看看宋画，亦可看到远近透视之观念，特别如郭熙所谓的“三远法”，有平远、高远、深远之技法传统。为什么张宏师法的不是这种中国本土传统，而是西洋版画的影响?

不仅如此，高居翰所举的第二套图例，本来是为了说明横跨河上的桥梁显著表示远近透视，以见图 6 与 7 相承之处，也颇有问题。我们可以看到，图 7 近景的房舍与远景的城中房舍，有显著的大小差别；而图 6 近景的屋舍则与河流对岸远景的屋宇，几乎没有大小区别。我们毋宁说张宏这幅册页更接近张择端的《清明上河图》及李嵩的《西湖图》传统。

由李嵩的《西湖图》，我们可以讨论以鸟瞰技法绘写园林胜景的传统，并可看到断论张宏《止园图》接近西洋传统而远离中国园林绘画之不妥。我们的确发现图8与文徵明或钱穀所代表的文人画风不同，并不足怪。由李嵩《西湖图》、张宏《止园图》，到乾隆年间的《扬州名胜图》，我们可以发现，中国绘画传统中，另有一支别于文人写意的以写实手法绘写园林胜景的画风，鸟瞰技法则属常用之表现方式。

同时，我们在明代的木刻版画中，也可以发现大量图版与此相类。如一六一〇年前后由钱贡作画、徽州黄应组镌刻的《环翠堂园景图》一卷，即是明显的例子。此卷原为傅惜华所藏，其中一幅鸟瞰图曾收入《明代版画书籍展览会目录》。傅氏逝世之后，原本不知流落何处，幸有北京人民美术出版社复制了图版，于一九八一年精印了五百册，由此可以看到与张宏《止园图》相同的表现技法。再如模仿李嵩《西湖图》的一幅崇祯六年（1633）木刻，亦是使用鸟瞰技法的好例。

这种着重以写实技法与鸟瞰图描写园林胜景的画风，与过去“工笔山水”有所区别，似乎反映了明末清初一批职业画家的写真倾向。这种倾向的出现，则与社会经济的繁荣和旅游风气的兴盛是相关的。明清版画中的这一类作品，集中出现在“游记”或“导游”之类的书中，如模仿李嵩《西湖图》的崇祯六年（1633）版的木刻即出自《天下名山胜概论》，也说明了这个现象。

高居翰强调西洋画风对中国画的影响，到第三章讨论吴彬、邵弥、赵左等人的作品时，更趋其极。由于篇幅的缘故，我们不拟一一讨论，只就他举以中国本土的例证，以显示高居翰暗示西洋版画如何影响中国画风的论断不妥。第一组是赵左作于一六〇九、一六一〇年间的《溪山高隐图》卷的第一部分

图 10　赵左《溪山高隐图》，加州伯克利景元斋藏

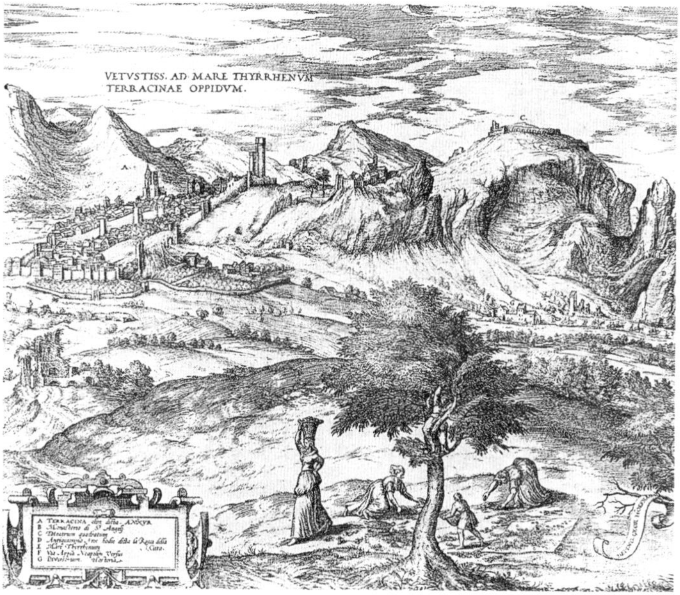

图 11　佚名《泰拉奇纳景观》，取自布劳恩与霍根贝格编纂《全球城色》

（图 10）与一幅西洋版画（图 11）；第二组是吴彬作于一六一〇年的《罗汉图》卷的一部分（图 12）与另一幅西洋版画（图 13）。高居翰虽然举不出这两幅西洋版画究竟是否传到过中国，却由构图的近似，相信相关的两幅中国画是分别受到影响的。

对第一组图片（图 10 及 11），我们可以举出元王蒙的《夏山高隐图》、唐寅的一幅山水册页以及万历初年刻版的《王公忠勤录》的插图，当可看出赵左实不必去模仿那张刻印于十六、十七世纪之交的西洋版画，只要从我们举出的本土传统便可学到这种崔嵬磅礴的山石画法。若是我们仔细对照赵左《溪山高隐图》（图 10）及王蒙《夏山高隐图》，更可发现，赵左的峰峦构形与山石皴法，简直就是王蒙笔墨之脱

图 12　吴彬《罗汉图》，台北故宫博物院藏

图 13　佚名《客西马尼园中的基督》，取自纳达尔《福音史事图解》

胎，而《溪山高隐图》之近似《夏山高隐图》或许也泄露了其间的相承关系。

对于第二组图片（图 12 及 13），我们可以举出《列仙全传》中的两幅木刻插图，以见中国民间绘画中龙凤灵异显迹是相当普遍的传统，亦不必先有西洋天使显圣，才使吴彬笔下的罗汉修得正果。这两幅木刻插图见于一六〇〇年刻版的

《列仙全传》，吴彬看到的可能性，远过于图13，而且这种母题若在一六〇〇年版的插图中普遍出现，必在当时早已普遍流行了。

由以上所举图例，我们可以看出高居翰论断之不妥，而他所以再三致意于此，则是由于在探讨绘画联系文化思想上，采取了先入为主的偏颇途径。然而，我们还是要看到，高居翰的努力是很有价值的，他指出的研究方向也基本上正确。有待大家共同努力。本书凡是不涉及西洋画影响的部分，虽在联系文化思想方面稍嫌浮泛，却能引入进一步思考其中涉及的问题。

由本书呈现主题的思考脉络看来，高居翰对明末清初绘画确有敏锐的观察，指出其中特别震撼人心的气势。高居翰的意思似乎是，这种震撼人心的气势，反映了时代精神，与宋画（如范宽的《溪山行旅图》）的大气磅礴有所不同。高居翰的观察很有意义，但未曾深入探讨，反而把注意力放在耶稣会士传来的西洋版画方面，是极为可惜的。

我们认为，明末清初绘画的撼人气势，最主要不是同于宋画之处，而是在风格的摸索上，反映了当时画家表现自然有其特殊的理解，是一种有意识的自我探索，也是对个人生存在社会中意义的探索。这种探索不但认真，而且迫切；不但人人探索，而且人人方向不同，自出机杼。这也就是为什么此时画风有“个人主义”或“适性主义”（Individualism）色彩的原因。不论是张宏对大自然的观察入微，还是董其昌继承前人的创造性仿古；不论是吴彬、赵左以仙山幻境模拟现世以外的世界，还是陈洪绶以变形人物呈现明末知识分子的游离心境；不论是弘仁以嵚奇孤冷刻画黄山的峻峭，还是龚贤以扑朔迷离显示梦幻与现实的交叠；不论是王原祁集诸家之大成，以构筑美好的新世界，还是道济打破一切成法，以自创的章法涂绘绚烂的艺术世界，我们可以看到，这一切探索都是自觉的必要，发自画家内心深处。我们不禁要问，到底是什么社会文化思想环境，造成了这种探索的现象？

其实，高居翰也看到这种社会文化思想环境与绘画创作的联系，只是没有进一步探讨，以明具体情况。譬如，阳明心学的发展到了后来，成为自我探索的局面，而非儒家正统所能束缚。再如社会经济的发展出现了陆楫的“消费经济”

观，乃战国“侈靡篇”以来最趋近社会享乐主义精神的经济学说。还有文艺美学中强调个性解放、重视个人情感、反对社会传统道德束缚。在在都显示十七世纪的中国社会有着“震撼人心”的变动，不可略而不提的。

最后，让我们重复一遍本文的看法：我们认为，这是一本启发性很高的著作，不论在方法论上，在探讨明末清初画风的具体分析上，都能发人深省。若本文批判部分有求全责备的倾向，则是因为我们重视高居翰提出的论点，冀期澄清一些混淆之处，意在理清道路，为美术史研究进入新阶段，尽一份铺路之功。

后记与铭谢

本文从构思到属稿，历时一年，于一九八三年九月五日写成初稿。在构思阶段，曾与我当时在耶鲁大学指导的研究生 Jonathan Hay 多次论辩，颇多助益。关于利玛窦及耶稣会士来华携来的图册问题，曾请教过史景迁教授，得知在万历年间中国画家见到西洋版画原本的机会，微乎其微。又承哈佛大学博士生班研究生巫鸿提供 *Barnhart-Cahill-Rogers Correspondence* 一书，以利研究，以在此致谢。在写作期间，当时服务于普林斯顿大学艺术系的周苏英代为复制图版，并拟写了第一部分述介的部分草稿，供我使用，最是难表谢忱。本文如有错误或论述不当之处，当然由我个人负责。

“东渡奇葩——日本江户时代中国旅日书画家展”前言

一

中日两地，一衣带水，两千多年以来接触频繁，文化交流的机会很多，在相当程度上塑造了东亚文明同质的基础。虽说不同地域衍生不同文化，一方水土养一方人，但长期接触交流的结果，必定在相互影响之下，产生文明扩散传播之效。以中日文化交流为例，中华文化源远流长，三千年前就已在中原大地高度发展，蔚为大国，以强势文化的姿态影响周边地区，而日本文明发展较晚，长期以来自然就接受了中华文化的熏陶，融入本身文化发展的历程。

从历史阶段来说，中日文化交流经历了不同的时期与情况，有时是明确有意识的学习，有时是特殊历史环境造成的偶然机遇，有时是政府组织的政策行为，有时是个人逃逋流亡无可奈何的选择，有时则是经贸来往附带的产物。历史与人物的交织，有其复杂性，在同一历史阶段也可能有不同的机缘与选择，可以印证“有心栽花，无心插柳”之谚。

春秋战国到秦汉建国初期，中原兵燹不断，常有避难逃亡人士东渡。有学者指出，随着吴越的灭国丧邦，中国南方的部族不少举族渡海，就有一部分人到达日本西南，建立部族国家，融合中土与土著文明，发展出考古学所称的日本弥生文化。秦汉至魏晋南北朝期间，有大批中原人士与接触过中原文化的朝鲜人，通过朝鲜半岛抵达日本，协助日本土著建立邦国文明与百官制度。其间还有人断断续续从吴越地区渡海而来，一方面继续向日本注入中国南方文明因素，另一方面则发展中日之间的直接海上交通，探索日本到中国南方的洋流与航道，逐渐确定了舟山群岛与宁波作为交通辐辏的交集点。

隋唐时期是中日文化交流的辉煌期，因为是有意识、有组织、有步骤、有目的、有执行方案的政府行为。随着大量遣隋使、遣唐使来华，学习宗教、文学、政经制度、天文历法、艺术方技，带回大批儒家经典、佛教经书、政治制度典籍、书画文物、生活习俗，日本朝廷得以巩固政权，仿效中国一统天下的中央集权制度，削弱豪族的势力，从部落式的政权联盟转化成权力一统的国家。宗教、文学、艺术的大规模传入，对中华文化的顶礼膜拜与仿效，对儒学与佛学的研究与信仰，对诗词书画的学习与钻研，更在移风易俗与提升文化的意识层次，强化了皇族及统治阶层的社会地位，确立了奈良朝与平安朝的日本文化基础。

日本的镰仓、室町时期，相当于中国的南宋、元、明时期，武士阶级兴起，幕府制度建立，打破了平安时期斯文贵族掌握政权、垄断文化的现象。这段时期的中日文化交流虽然继续，但也有中断隔绝的期间，往往与中原或日本本土的改朝换代相关，因政治社会的动荡，而造成文化的停滞与隔绝。镰仓政权稳定之后，很快又开始吸收宋代发展的佛教流派、儒家思想及文化艺术成果，大量引进佛经、儒典、医书、本草书、历法、文学书籍，宣扬“儒佛不二”，并传入了宋代的精致生活艺术与文化品位。在这段时期，日本不但吸收了宋学与禅学，还引进了茶饮文化、书法艺术、陶瓷制作、印刷雕版、“唐风”建筑、佛像雕塑等技艺。镰仓晚期，因元朝征伐日本而导致交流的停顿，再加上随后两国的内乱纷起，中国元明易代，日本镰仓幕府崩溃，一直到足利幕府重新一揽政权，也就是相当明代初期，中国与日本社会才再有了一个相对稳定的局面。然而，明代在对外贸易与文化交流的政策上，采取封闭控制手段，以“禁海”作为海疆平靖的策略，把贸易与交流完全纳入了朝贡体系，就使得文化交流也受到了限制。同时，在足利幕府统治的室町时期，日本文化的发展转而内向，进入儒佛本土化的历程，以宋朝的禅学与程朱理学为统治的意识形态，发展出支撑武家权力结构的“武士道”精神，进一步融合儒家的“忠”、武士的“勇”以及禅学的“空寂”，造就了日本独特的文化内涵。

明代中叶以后，先有“倭寇”的纠纷，后有丰臣秀吉征韩的举动，不但海疆不靖，而且中日转为敌国，直接的来往自然断绝，加深了中日文化的隔绝。明清易代，郑成功依靠海上势力进行反清复明，使得清朝实施“迁海”，以坚壁清野的手段，把沿海地区化为无人居住的“军事战斗区”，延续了中国封闭海域的“禁海”政策。然而，吊诡的情况是，与“倭寇”相关的海上走私贸易与反清复明的海外活动，非但屡禁不绝，还大大增加了中日之间“非政府”的联系，促进了体制外的民间交往。明末清初，有不少经商的儒士、传法的高僧、反清志士与遗民“乘桴浮于海”，在域外传递中华文化的种子，通过文化与艺术的传承，寄托故国之思，也影响了日本文化艺术的探新方向。陈元赟（1587–1671）、隐元隆琦（1592–1673）、独立性易（1596–1672）、朱舜水（1600–1682）、逸然性融（1601–1668）、东皋心越（1639–1696），就是通过个人的文化艺术成就与魅力，培养与训练了一批弟子，让中华文化的新猷在日本落地生根，在中日文化交流上，虽与两国邦交无涉，却作出了重大的贡献。

二

“东渡奇葩——日本江户时代中国旅日书画家展”，呈现了隐元及东渡佛门弟子书画二十九件，朱舜水作品四件，陈元赟一件。其余近三十件，则多为十八世纪清朝取消海禁之后，职业画家东渡日本的传世作品，以及流风影响的一批日本南画。合而言之，从明清易代之际到清代后期，这批书画反映了中日因时局动荡相对隔绝之时，日本不再积极派遣学者或学问僧赴华，不再系统向中国学习佛学思想、文

隐元书法作品

物制度与经国济世之策，但宗教、文化、艺术的传播仍在进行。除了上述佛门大德与明遗民相关的人物，清中叶东渡的职业画家如沈铨（1682–1760后）及其弟子郑培（活跃于1731–1754），在画风流派的影响上，就对日本艺术探索的方向产生了很大的冲击。

我对日本江户时期中国东渡书画家发生兴趣，说来也偶然。十多年前，在台北结识了何创时书法艺术基金会的负责人何国庆先生，承他不弃，邀请我观赏所藏书画之余，请我担任顾问，为他举办的“明末清初书法展——忠烈名臣遗民高僧”写一篇序论，探讨明末清初文化艺术风气的变化。写成发表之后，辗转看到一本《日本黄檗山万福寺藏旅日高僧隐元中土来往书信集》，是陈智超等人编辑，由中华全国图书馆文献缩微复制中心出版，一共才印了三百五十册，倒成了珍稀物种。书中的材料使我对隐元东渡、兴建宇治万福寺、创始日本黄檗宗的历史背景，有了更深刻的认识。读这批当时的来往信札，可以感受到隐元的心境，以及流亡海外的孤臣孽子之心。大和尚虽已出家，在异域传法成果累累，功德无量，但是他却故国情深，流露无遗。我也就因此参访了京都南郊的黄檗万福寺，徜徉在总门内的放生池畔，徘徊在隐元退隐之后居住的松隐堂旁。穿行在一进进殿堂与回廊之间，看到四处的匾额楹联，龙飞凤舞的字迹，署名多是隐元、木庵、即非，令人感到身处古昔大德挥毫的刹那。

二〇〇二年，我向香港城市大学申请到一笔研究经费，邀请了中国美术学院的任道斌及中国文化中心的同事徐丽莎，共同进行“明末清初浙江赴日画家”的研究计划。在两年期间，我们走访了上海博物馆、浙江博物馆，以及东京、京都、神户、长崎各地的重要收藏，并与日本学者进行深入的学术对话，基本掌握了材料，对沈铨、郑培、熊斐、伊孚九、张秋谷做了一些研究。我当时还受邀到日本本栖寺，参加一次学术研讨会，讲“从书札来往看隐元的故国情怀”，颇得佛门学者的好评。也在那段期间，特地到东京参观了朱舜水规划设计的后乐园，冒着风雪参访了长崎的唐三寺（圣寿山崇福寺、东明山兴福寺，以及原子弹爆炸后的福济寺）及年代相当的圣福寺，对先贤渡海传道的精神有了感性的体会。

再也没想到，前年（2006年）在香港中环，造访纽约结识的旧友黄君实兄，却看到他收藏了上百件书画，正是明末清初东渡高僧遗民与书画家的真迹珍品。这十几年来因缘际会，寻寻觅觅，居然是在香港见到了风雨归来的故人。古人的诗词集句蓦然浮现心头，真是“踏破铁鞋无觅处”“似曾相识燕归来”。于是就力邀君实兄，与香港城市大学中国文化中心合办一个展览，把他的珍藏公之于世，同时也算是了却我的一桩心愿。回顾三百多年来的苍苍岁月，风云变幻，多少英雄豪杰随着时间浪淘而去，眼前这一幅幅一卷卷书画笔墨，点点滴滴，记录了多少中华文化的情怀。

“乾隆仿古”的精美风韵

乾隆皇帝当朝六十年（1736–1795），是清代盛世最辉煌的时期，也是大清帝国由盛转衰的关键时段。生活在当时的人，看不到全球及后世历史发展轨迹的诡谲，只能从中国过去的经验对照当时的生存环境来思考，便觉得乾隆朝文治武功都逾越前代，四海升平，户口备增，民力丰裕，开邃古以来未有之昌隆局面。

乾隆皇帝生活在紫禁城中，坐在金銮殿上，看到自己的治下四夷宾服，臣民感戴，当然是踌躇满志，毫不犹豫自诩为“十全老人”。这种自得自满的心态，固然来自康雍乾三代励精图治的成绩，也来自承继中华文化正统的历史光环。作为“天子”，普天之下莫非王土，率土之滨莫非王臣，不止是以武力权威统治疆土与臣民，更重要的是成为宇宙秩序的中枢，通过天人合一的认识与追求，达到阴阳通济的天下太平。这样的心理状态，也就影响了乾隆皇帝的生活环境，并且反映在充满了象征联想的日用器物之中，因为他的一举一动都关乎国家的气运，甚至影响天地间阴阳的互动与运行。

澳门艺术博物馆为庆祝故宫博物院建院八十周年，举办了“邃古来今：清宫仿古文物精品展”，就通过一批故宫收藏的乾隆朝仿古工艺品，展现了乾隆皇帝的艺术品位，更反映了天子日用器物的文化象征意义。

这次展品都是器物，以摆设清供为主，也有一些可供实用。分为铜器、珐琅、瓷器、玉器、砚石、漆器、雕刻、绘画、书法等类，可谓琳琅满目。展品中最可供实用的是砚石，但我十分怀疑乾隆皇帝会日常使用这些制作工巧的艺术精品。倒不是皇帝舍不得，而是砚石圆润如玉，再配以雕镂精美的匣盒，正好取来欣赏把玩，不适合作研墨挥毫之用。

且举展品“乾隆御用仿古澄泥虎伏砚”为例。此砚高五厘米，长十四点五厘米，宽九厘米，正是普通人手掌大小，研墨书写嫌窄，拿到手上把玩倒是别有一番情趣。砚的造型作虎伏状，通体呈绿锈泛金色，给人一种仿古铜器的质感。此砚分上下两半，扣合严实，上半为砚盖，下半为砚体，砚体上方浅刻了阴阳太极图，作为注水的墨池，其余则是供作研墨的砚面。砚盖内凹，阴刻乾隆隶书的御铭，极为工巧。这还不算，虎伏砚还配有椭圆形包袱式木盒，盒面刻“虎伏砚”三字，盒盖内刻填金隶书御铭，内容与砚盖内的刻字相同。盒内底还镌刻隶书“乾隆御用”及“几暇临池”方印，均填金。

我们试想，若是乾隆皇帝真的在万几之暇，想要临池书写，会用这块只有手掌大小的砚台吗？他或许兴致来了，叫太监呈上虎伏砚。拿在手上，先看见的是包袱盒上刻的隶书“虎伏砚”三字。欣赏一会儿，打开来，砚盒背后有自己御制隶书的铭文，再欣赏一番，自鸣得意一番，看到铭文后面还有两方印呢，一书“会心不远”，一书“德充符”，不禁感到自己的艺术品位与情趣，与古圣先贤的境界不远，超越了时空，进入了灵气弥漫的阆苑仙境。这还没完呢，才看到了扣合严实的砚石本身。再打开虎形的砚盖，可见盖内阴刻的御铭，与砚盒内的刻文一样，不禁两相对照一番，说不定还会暗自赞叹自己的诗文书法成就。再看看刻有太极图的砚体，摩挲一番，体会一下指尖抚摸澄泥的质感。一切都如此精巧，如此完美，赏心悦目。你觉得乾隆皇帝还会叫太监在这块砚石上研墨吗？

类似的情况也见于展品“竹雕牧牛图笔筒”。既是笔筒，当然有实用价值，可以用来插笔。然而，这个笔筒的造形奇特，雕刻细致精美，人物栩栩如生，于方寸之地见大匠运斤之巧，得自然之气韵。其欣赏清供的价值太高，抵消了实用性，况且本来也不是为了实用而制的。这件笔筒高十四厘米，最大口径为九点九厘米，最大足径为十二点一厘米，表面上可以作笔筒之用。但是，仔细审视一下，就会发现，此筒是截取根部竹壁较厚的竹节，弯曲的弧度甚大，因此，可供实用的笔筒高度不过五六厘米，还有点倾斜，实在不适合作实用的笔筒。

何况，真正的关键是，“竹雕牧牛图笔筒”是一件顺应天然形态的雕刻精品，造型是天工与艺术设计相映成趣的完美结合，真可谓天人合一。在这样的艺术精品上，插上一堆文房用具，岂不可笑？此件竹雕因为竹节弯曲的弧度大，就提供了雕工的想象空间，由此展现出山坳石壁，又因竹根斜出了一大块，雕工就刻出了俯身坐于水牛背上的牧童，旁边还刻有侧卧的小牛犊，层次分明，活灵活现一幅乡野牧牛图。这当然只能是衬出文房趣味的案头清供，以博皇帝一粲。

我举这两个例证，是为了说明展览的乾隆仿古器物，虽然都是可用的工艺品，但其真正的用途是供皇帝赏玩，其追求的目的是艺术的情趣，是为了带给皇帝审美愉悦，当然也要配合皇帝的品味。这些仿古精品，一方面显示了超绝的工艺技术，精密细腻，一丝不苟，经常是巧夺天工，令人惊叹不已。另一方面则在制作时心存供呈御览之念，在“仿古”的规模限度中讨生活，不敢放肆，也就不可能出现热情奔放的艺术震撼。

这些展品还显示了一种特殊的仿古艺术追求，即是模仿不同材质的艺术形式，如瓷器仿青铜器，竹雕、木雕仿青铜之类。这种不同材质的模仿，需要极为高妙精巧的技艺，不仅是艺术风格的仿古，还得超越材质本身的限制，达到乱真的“瞒眼”（trompe-l’oeil）境地，是人力企图超越自然的艺术追求。例如展品“乾隆款古铜彩仿古双耳炉”，通体描金，精细无比，乍看之下，以为是铜器，要反复审视，才相信这是件瓷器精品。再如展品“竹雕仿古兽面纹兽耳方瓶”，是以竹器仿青铜方壶，其技艺之巧妙，也令人叹为观止。模仿不同材质的艺术形式，是在超越材质本身限制的艰难工艺追求与探索中，给人无限的惊喜。至少让皇帝感到，工匠呕心沥血，费尽心机，以博御览垂恩。

这里也就透露了乾隆仿古精品的创作限制：不但要仿古，在形式上要遵循某种格式，中规中矩，还要在创作意图中考虑到，成品是呈献给皇帝御览的，恣肆不得，放任不得，只能战战兢兢，但求无过，不求有功。于是，四平八稳之中追求工艺的精细与趣味，符合乾隆皇帝的身份与品位，也就缺少艺术探索的个性。

乾隆仿古精品的艺术境界并不高，但其工艺的巧妙精细可说是空前绝后了。

笔透鸿蒙
——“杨善深书画精品展”序

一

石涛在《画语录》一开头，探讨了中国绘画传统技法的本质，做了抽象哲理的概括，提出“一画”之说：“一画者，众有之本，万象之根，见用于神，藏用于人，而世人不知。”似乎说得有点玄，让人想到老子的宇宙生成说，也像周敦颐在解释太极的妙用，但是他接着说：“一画之法，乃自我立。”就肯定了画家本人对宇宙万物、自然景象、人情悲欢的个人独特洞察，肯定了创作者的主体参与是创造艺术世界的基本动力。“我”是支点，“一画”即可延伸出线与面，以至于立体、实在、有血有肉的山川大地与万物生灵。

伍蠡甫研究石涛画论，特别指出“一画”与中国绘画美学传统强调线条的关系，认为石涛掌握了中国画运用笔墨的精髓，说出了最基本的审美道理。我觉得还可以再进一步，把石涛所说的“无法”与“有法”的关系，联系到谢赫六法所说的“气韵生动”与“骨法用笔”。“太古无法，太朴不散”，指的是天地元气，混沌冥蒙之中有一种生生不息的能量；“太朴一散，而法立矣”，指的是人类文明积累出艺术体会的诀窍。因为掌握了骨法用笔，而有“一画”，才能穿透宇宙鸿蒙，随类赋形，再现淋漓的元气，创造出震撼人心的艺术生命。

石涛说：“此一画收尽鸿蒙之外，即亿万万笔墨，未有不始于此而终于此，惟听人之握取之耳。人能以一画具体而微，意明笔透。”更清楚说明了，笔墨是通过内心的艺术领会来展示的，从画家的自心出发，也就是从“成竹在胸”的领会出发，以简驭繁，由一画而亿万，挥洒纵横，终归于整体圆满的结果。因此，万变不离其宗，而这个“宗”就是艺术家理解鸿蒙元气之际的自我。

解说石涛的“一画”，目的在藉此阐说杨善深书画艺术的境界，解释我选择“笔透鸿蒙”作为此次书画精品展点题的美学内涵。

二

杨善深是岭南画派的大家，是继“岭南三杰”（高剑父、高奇峰、陈树人）之后的“四大天王”（赵少昂、关山月、黎雄才、杨善深）中，硕果仅存的耆宿，至今仍然勤于命笔，并且推陈出新，创作不辍。他的画风与题材，继承了岭南画派融汇中西的精神，兼具文人的诗书修养与画人的摹写自然，不但长于花鸟虫鱼鸷禽猛兽，而且在山水人物方面别开蹊径，画路宽广，不拘一法，对现代国画的发展有前瞻性的意义。

黄蒙田探讨杨善深与岭南画派的关系，指出杨善深的创作生涯虽与高剑父的经历类似，曾经留日习画，吸取日本画与西洋画的养分，又曾师从（至少是亦师亦友）高剑父而深受“折衷中西”画法的影响，却因不断追求自己艺术天地的美感境界，终能突破岭南嫡系的樊篱，开创了独特的风格。我完全同意这个观察，并想就此问题，联系到石涛讲的“一画收尽鸿蒙之外，即亿万万笔墨”，多说几句。

岭南画派的前辈居巢与居廉，并未明显受到西方画风的影响，不过，因为强调花鸟的写生，上溯宋代的写实风格，多少为“二高一陈”的新国画奠下了风格与题材的基础。岭南画派画风的具体成形，则与清末民初革命风气息息相关，最典型的范例当然就是高剑父“冲决网罗”的创作精神。从题材与技法来看，“二高一陈”都自觉地抛弃明清主流画法画风，求新求变，表露出一种狂放恣肆、破除陈规的态度。艺术要革新，要打破传统，要配合国民革命的理想，要塑造新时代的审美精神，往往就会随着不羁的革命意识，抛弃了传统笔墨所蕴积的美感展现特质。要扬弃传统文人画天人合一和谐精神所衍生的自我封闭心态，要表现物竞天择、人定胜天、自强不息、迎头赶上的积极进取生命意义，“二高一陈”的艺术成品难免“意识形态先行”之讥，时常以意代笔，在笔墨皴染方面显得粗疏。

从创新国画、开拓艺术视野的角度而言，高氏兄弟的确超越了师承居廉，抛弃了娟秀风雅的花鸟世界，也推倒了以“四王”为宗的文人山水艺术霸权结构，而开创了雄伟恢奇的画风，展现积极进取的世界观。因此，也有人指出，高剑父画的是“新天地”，才是岭南画派的始原；居廉画的是“旧世界”，不该算作岭南画派。

然而，从艺术史传承与创新的角度来看，笔墨技法的发展演变也是不可忽视的，而艺术成就的最后评判，也并非单纯二分的“是革命还是保守”“是进步还是落伍”“是现代还是传统”。时代不停演进，现代也会变成过去，变成有待革新的新传统，而艺术家所要展现的个人独特的生命体会，必须藉着笔墨技法的造诣来完成。“二高一陈”是辛亥革命的参与者，他们的生命体会与艺术情怀是与国民革命分不开的，因此常有意识先行而笔墨不足之处。赵少昂、关山月、黎雄才与杨善深，都是民国以后的人，人生际遇不同，经历的是抗战、内战、冷战，是支离破碎、莫衷一是的大环境，较少激昂慷慨的革命情怀，而在技法的深化方面各有所长。

身处广东的关、黎，以山水为主，继续发展雄奇闳壮路数；居停在香港的赵、杨，则多画花鸟虫鱼，渐趋平稳冲淡。时代的变化发展，使得“四大天王”提升了岭南笔墨技法，也反映了艺术家本人的人生处境。

作为一生追求艺术的画人，杨善深最关切的是书画，而非政治社会的变革。他经历过漫长而曲折的习画过程，有着内敛沉稳的艺术性格，又挚爱传统文化的深厚底蕴，使他在融合新旧中西之际，逐渐脱离岭南画派恣肆不羁的革命情怀，展露了自己独特的面貌。最明显的就是，少了飞扬跋扈的革命霸气，多了风流儒雅的文人逸兴。我们由此可以看到，岭南画派因时间的推移，已有清楚的历史阶段可迹。从居氏兄弟（居巢、居廉）到“岭南三杰”是一变，从三杰到“四大天王”又是一变，而杨善深在此演变中扮演了重要的角色。他在花鸟虫鱼方面深化了笔墨肌理，在山水人物重新追索文人传统，再度“折衷”岭南画风，而且以复古为革新，重新阐释了高剑父对乃师居廉的赞誉：“吾师对艺术一生的用心，是要解放古人束缚，回到自我表现的境界里，一空依傍，赤裸裸画出我的真面目，在诗化的造型领域中自由发展。”一代有一代之革新，一代有一代之解放，只是对象不同了，而对画家本人而言，则总不外乎自我追求、自我完足的过程。因此，中西可以合璧，古人可以为我所用。回到石涛的话语，则是：“夫画，天下变通之大法也，山川形势之精英也，古今造物之陶冶也，阴阳气度之流行也，借笔墨以写天地万物而陶泳乎我也。……天然授之也，我于古何师而不化之有？”

三

我虽然对岭南画派一直饶有兴趣，却是在一九九八年香港城市大学创办中国文化中心，我自己来到香港之后，才起意邀请岭南大师莅校，亲炙其艺术。当时想的很单纯，以为身在香港，提倡中国文化，必须有清楚的自我定位，并重新阐释中国文化在岭南地区的特色，而岭南画派的成就是绝佳的范例，可为中国文化教学提供诸多启发。曾有过邀请关山月与黎雄才的设想，都因身体状况欠佳与安排手续复杂而不果，后来二老相继过世，当然成了遗憾。

这次因为得识收藏家杜威先生，谈得投缘，承他妥为安排，联络了几位同好，提供所藏杨善深精品，让我们在香港城市大学画廊举办“杨善深书画精品展”，又嘱我撰写画册序言，还要标署点题。我推辞不过，只好献曝，略述我对杨善深艺术追求在岭南画派中的地位，难免佛头着秽之讥。

既然已经放肆了，就请善深先生与诸位高明谅宥，容我再蛇足几句，为观赏本次书画展的同学们提示几点：

一、岭南画派折衷中西是众所周知的，长于花鸟虫鱼猛禽走兽，一般不画恬静和谐的山水，有其特殊的时代革新意义。其中反映了二十世纪的中国，在画家的思想感情深处是支离破碎的，不再有天人合一的境界，只有物竞天择、适者生存。杨善深的晚期画作，重新诠释山水人物，赋予宁静疏淡的境界，乃至于有点萧散空灵，流露儒雅风范，是否预示着中国的现代心灵又有恬静的一天？特别值得注意的是《竹林七贤图》与春意册页，分别展示了胜友与男女两类情感交流的场景，可以看到杨善深关注有血有肉的个体心灵得以相契。

二、杨善深人物的面貌都十分相像，男女皆然，不是具体写生，然而却非“千人一面”。这道理就像戏曲舞台上的脸谱，只是个象征，其个性与内心世界是由具体场景与身段动作展现的。在画，则是笔墨的灵动与拙窒，线条的流利与干涩，以及皴染与白描的互动，决定了画中人物的内心情态。我相信杨善深山水人物的复古倾向是一种新的探索，着眼点是寻觅心理秩序的和谐，不再斤斤计较客观外在的写实。

三、杨善深转入内心世界的探索，并非不重视笔墨的写实，只是不同题材有不同画法。若以岭南画派所长的笔墨技法而言，杨善深在皴揉点染上都有超越前代之处。且看他画的雄鸡，威武昂扬而又沉稳飒爽，其矫健雄伟全在一对距趾之上，这是笔力深厚所臻，也是以书法为画笔的最佳例证。再看看他的猿猴与猫虎，技法变化多端，不胜枚举。对照这次展出的画稿与同类题材的成画，当可窥知杨善深画艺的脉络。他的山水与人物，也应当从书画笔墨的角度来看，才能体会画家的用心所在。

四、杨善深的书法别树一帜，一方面令人感到突兀怪谲，另一方面又可看到是岭南画派枝干画法的真传。曾有人特别指出，其神韵来自《祀三公山碑》及《广武将军碑》。我觉得关键不在于体味篆隶之际的朴拙字体，而在杨善深追求自我展现，在书法中发扬岭南画派狂诞不羁的笔法。或许因为他在画风上转趋沉潜内敛，表露儒雅风范，便在书法上随风放缆，任意粗豪，算是一种艺术追求的自我平衡吧。他曾有一幅七言诗轴，很能说明想要表现书法独特面貌之心："意象神如变化生，笔端有力任纵横。须教自我胸中出，切忌随人脚后行。"

最后，有点末节上的观察，也一并献曝。杨善深近年画了不少女体与春意作品，展现男女生意勃发的情态，但表现手法诗情画意，蕴藉含蓄。这与毕加索晚年春画剑拔弩张，龇牙咧嘴的暴露，大不相同。但是，画家晚年着意描写生机盎然的男女情态，总是表现了对天地间生生不息的能量，有着无穷的兴趣。这是对生命的讴歌，也展示了画家的生命力老当益壮，艺术的精进正未有穷期。

翰墨戏曲
——关良与中西绘画的融合

一

关良是近代中国画坛的一个异数。他最出色的画作是水墨戏曲人物，令人一看就觉得他继承了陈老莲、八大山人、金农、罗聘、齐白石一脉中国人物变形画的传统，是地地道道的中国水墨画，如假包换。然而，你再仔细看看，他的笔墨设色，稚拙朴实得出了文人传统的“格”，更像马蒂斯与毕加索。假如知道关良是学习油画出身，并深受后期印象派以来西方大师的影响，你或许会憬然而悟：关良的画吸收了中西绘画传统的优秀资源，为我所用，自创一格，表现了他个人的艺术想象世界。

关良擅长戏曲人物的呈写，因为他自小就钟爱中国戏曲。这种对戏曲的挚爱，对戏曲舞台与人物展现人生悲欢离合的关注，对戏曲表演形式的热衷，是他绘画此一题材的生命积蓄，是凝聚他生活乐趣的艺术冲动，是艺术家无论如何也要破茧而出的能源。因此，对关良自己来说，画戏曲人物是他一生艺术表现的焦点与高峰，因为他找到了自己艺术创作的内在无尽藏。他曾说过："生活为我传新意，我为生活传精神。"表面上看，似乎是"艺术源自生活"的老套说法。然而，认真看看关良一生对艺术的追索及逐渐发掘戏曲题材的经历，我们就会认识，他的生活几乎浸润在观赏戏曲之中，而又能从中汲取艺术灵感，为戏曲表演艺术"传精神"。

二

关良出身小商贩人家，家道渐殷而得以进入洋学堂求学上进。一九一七年随他二哥赴日深造，本来是学化学的，后来因为喜欢绘画，又有朋友怂恿，改学绘画。

关良在日本习画期间，正是法国印象派影响日本画坛之时。关良的老师藤岛武二及中村不折都受印象派影响，教导学生西洋写实主义绘画传统，同时又带进了印象派画风的新因素，对他的艺术认识产生了极大的冲击。他后来在自述中，说高更、梵高、马蒂斯三位大师“对我的影响都是‘终身制’的”。

关良晚年追忆这三位西方绘画大师对他的影响，依然流露出无限景仰之情。对高更，他如此说：

> 那庄严肃穆的宁静、朴素之极的装饰性笔触构图，写出塔希提岛人的勤奋、节俭、乐天、纯朴。……他的画是无限痛苦的生命历程换来的，他洗净个人的不幸，画出超凡的境界。

说梵高：

> 对形体与色彩的夸张、画里喷出热情的火焰、自我

表现的力度，简直是邀请观众进入一个极富同情心的广阔天地，全部摆脱了院体框框。……看完他的书信集，心灵受到莫大震撼。

说高更与梵高给他的教训：

培植了我对清贫冷漠环境的忍受力、对艺术的殉道精神。年纪大些后我忠告自己，重复大师的艺术便背叛了大师的画外遗训。

说马蒂斯：

不仅是对高更的发展，还渗入大量日本浮世绘版画（源于中国画）的东方情调，让观察从整体上接受原色的表现力、单纯的美。……我后来悟得：与祖国文化遗产距离越远的东西，吸收合理，得意忘形，个人风格越突出。这启示的获得，要多谢马蒂斯提供的例证与推进。

可以看到，在追求艺术创作的内涵上，关良是直接受教于西方近代绘画流派的。

关良在一九二三年回国之后，便一直在艺术院校教美术，主要是教素描与油画，也就是西洋绘画课程。他在上海美专接触到国画大师黄宾虹，深受感召，对中国传统写意水墨有了认识，也进行了练习。

关良专注水墨戏曲人物的创作，是在抗战时期的四川，因为大后方物资缺乏，油画颜料难买，便商之于郭沫若。郭沫若大力支持，不但为他的画题字，并为他的画展张罗，还写了《关良艺术论》一文，其中说道：

> 关良先生有深固的西画根底，同时更深入国画的堂奥，从他的作品中所表现出来的风格，显然富有一种极大的创作感。……他以西画作躯壳，国画作灵魂，以西画单纯明快坚实浓郁的技巧，来表达国画恬静、洒脱、淡雅、超逸的神韵，企图创作一种时代的、前进的、发

扬中国传统艺术精神的新绘画……

撇开郭沫若惯用的夸张形容，此文点出关良艺术的独创方向，对关良创作水墨戏曲人物有相当重大的影响。通过戏曲人物这种具有民族特性的题材，关良在构图与技法上融合了中西，而且能够得鱼忘筌，得意忘形。

三

抗战胜利后，国立艺专在杭州复校，关良应潘天寿之邀，赴杭州任教，在此迷上了盖叫天的戏曲表演，并与盖叫天结为莫逆之交。与盖叫天的交往与切磋，使关良戏曲人物画的境界，更上了一层楼。盖叫天对戏曲艺术有一套独特的看法，结合了传统美学而有所发挥，最重要的是从自己的表演艺术中总结出，身段之美有其形上的普遍美学意义，而具体的展现则必须一丝不苟，过犹不及。他看关良的画，也有独到的体会，曾说关良的人物好在寓动于静，把戏中人物动作的过程凝聚在将发未发之际，因此，有一种剧情动作的进行感，耐看。这与一般观众在动作完结时，特别赞赏“亮相”有所不同。

盖叫天的观察十分敏锐而有趣，触及了戏曲表演与绘画呈现两种不同艺术形式的差异及其相互呼应之处。在剧场中观戏的观众，欣赏了舞台上的身段动作，对整个戏剧展演的过程有了美感享受，因此，在“亮相”时得到了圆满的艺术感染总结，因此叫好鼓掌。绘画不同，观赏者看到的图景若只是“亮相”那一刹那的静止的美，由于没有经历剧场中的剧情与身段展演，没有动作铺垫出这个凝聚全场动作的静止状态，则不能产生艺术共鸣，就成了一种买椟还珠式的艺术呈现。

关良画戏曲人物的特色，盖叫天称之为“画中有戏”，让关良有知音之感。盖叫天曾作过极为平实但深刻的分析：“我演《武松打店》，总是等锣鼓点子‘蹦—登—呛’的亮相完毕了之后才有人鼓掌、拍照，这倒是‘好’到点子上。演员在紧张的表演过程中，观众是无暇叫好的，我自己也认为亮相时最美。因此初次接触您的画，看不大懂，还认为是散了神。后来才慢慢看懂了，您是专选我亮相还未定的时候，也就是锣鼓点子‘蹦—登—’还未到‘呛’的时候，抓住这一瞬间的动势于画面上，因此在画面上的人物也给人一种美的享受。您是用这种办法传神的，真是画中有戏。”

关良画戏曲人物，还有一大特色，即是画龙点睛之笔，也与盖叫天有关。中国传统戏曲讲究“手、眼、身、法、步”，对眼神的表现十分注重。盖叫天曾对关良解释过，眼神有“看、盯、瞟、瞄、瞪”等表演方式，关良则观察到“盖叫天的眼睛表情更有‘斗鸡眼’‘对眼白’等绝技”。

关良说他与盖叫天谈戏曲的眼神表演，可以归结到自己表现人物神情的关键之笔，都是长年累积、刻苦练习，厚积薄发的成果：

> “眸子”两点，焦墨一戳，看来“全不费功夫”，却是“经心之极”的一笔。有时我把画好的一幅画稿，高悬墙上，朝夕相对，斟酌再三，一旦成熟，即刻落笔，一挥而就。眼睛不仅反映着人物一般的动态、神态、情

绪，而且更反映出戏剧在特定环境中的特定思想感情、气质。虽然寥寥数笔，但欲区别出人物的三教九流，忠奸贤愚，喜怒哀乐，七情六欲，或飞笔直戳，或横笔带拖，或方或圆，或尖棱或偏斜，不一而足，种种效果，不言而喻。盖老和我谈及这一点，所见颇相同，两人会不禁同声戏谑："虽不敢说一声'所见略同'，也实可称得上'殊途同归'了！"

关良在一九七八年，写过一篇《简谈我的彩墨戏剧人物画》，对自己作品的造型、构思、构图、笔墨、传神、笔势，分别作了简要的说明。主要的论点，在他与盖叫天论艺切磋之时，都已涉及。他强调了戏曲舞台表演和画戏曲人物有艺术形式类别的不同，说构思题材要有取有舍，以简驭繁，"以少少许胜多多许"，认为构图要服从实际的需要，考虑材料的形质而善为经营。说到笔墨，关良基本遵循传统对骨法用笔的重视，但同时强调自己不拘一格，也从日本及西方大家吸取养分。至于传神一项，更是关良念兹在兹之处。他虽强调“形神兼备”，但却明确指出自己偏重“神似”，因而眼神也就成了他关注的焦点。

四

此次香港城市大学艺廊有幸展出一百二十余幅关良作品，要特别感谢画家及收藏家莫一点先生、杜威先生及卢伟国博士。展出的主要作品是水墨戏曲人物，但同时也有相当数量的油画、水彩及素描，可以看出关良如何在掌握了西方绘画技巧后，取其所长，融入他创新的中国水墨画，开创画坛的新天地。

开创新风是无法叱嗟立办的，需要长期艰苦的努力。关良投身艺术创作的一生，是有志于融合中西文化者的好榜样，他的水墨戏曲人物也是艺术成就的最好例证。他在水彩、油画方面的探索，在风景静物题材上的努力，特别还创作一些油画戏曲人物，更让我们看到一位孜孜不倦的艺术家，在那里谨遵苏东坡的提示：“厚积而薄发，博观以约取”，一生奉献给中国画艺术的创新。

马得的戏曲人物

一

在二十世纪的中国画坛上，画戏曲人物，前有关良，后有马得，而马得的笔墨潇洒自然，画风如行云流水，深得水墨传统的三昧，也更符合中国戏曲艺术的审美情趣。

中国传统戏曲讲求的是虚拟，是写意，是在空无布景的红氍毹上，以唱腔的激昂或婉转，以身段的夸张或收敛，铺陈出大江东去的豪情壮志（《刀会》中的关云长），展现出姹紫嫣红的良辰美景（《游园》中的杜丽娘），化虚为实，化想象为一幅幅惊心动魄的生离死别场景，为缠绵凄美的爱情故事，化剧场为现实人生种种情态的再现，为内心幽微深挚情愫得以展示的空间。由虚到实的过程，是演员与观众共同参与的想象巡礼，更是演员在举手投足之间要展示的深厚功力，因为就像速写人物一样，一点也错不得，一错全盘错，人物性格及内心情感的展现全乱了套，戏味全变了，等着台下叫倒好吧。

关良画戏曲人物，根柢是他的西洋画训练，用印象派捕捉光影的手法，以朴拙童稚的笔触，捕捉舞台上变动不居的动作，在剧情关键时刻，像照相一样，咔嚓一声，凝聚了剧中人物的情态，是寓动于静的本事。他的画风最引人注目的是童拙的线条，像儿童初握毛笔，不识笔锋走向，连个横平竖直都勉为其难，乍一看，像小学生美术课交的作业。仔细品味，才发现其中意趣，寓巧于拙，连一条线都吝于顺畅，连个衣褶都崚嶒嶙峋。他不走平顺的康庄大道，偏要在崎岖山径上攀登，倒是能够别出蹊径，让人用崭新的视角重新审视戏曲人物的舞台艺术。

马得的笔墨意趣与关良不同，走的是中国传统水墨写意人物。方成说他师承北宋梁楷，又赶紧说“可又不同”，因为马得是漫画家，善用速写手法勾勒人物。虽然说得含混，却点出了马得戏曲人物的特色。第一，他有画漫画的根柢，擅长速写人物。第二，他继承的是中国水墨传统，有笔有墨，不仅是漫画的线条勾勒。第三，传统写意水墨的旨趣，不论是宋代的梁楷、牧谿的禅意，还是八大的遗世独立，以至于齐白石的“隐于市朝”、丰子恺的和光同尘，都在提升精神意境，其艺术状态是符合自然的。也就是在戛戛独造的追求中，并不故作惊世骇俗的异状以引人耳目，而是尽量以平和顺畅的笔墨，展示内心激昂跌宕的心境，以期达到自我与世界、人与自然的平衡。我认为，马得的戏曲人物画最重要的贡献，就在于发展了水墨写意传统的精神意境，通过“戏场小世界，人生大舞台”，追求中国文化传统独有的审美情趣。

二

马得出生于一九一七年，姓高，学名高骥，因为他母亲属马，又生于马年，所以乳名叫“马得”，后来用作笔名，反而成了通用的名字。

他在天津长大，十六岁那年考入天津河北省立水产专科学校，学的是渔捞专业。本来是要成为渔业专家的，却在因病辍学期间，潜心学习从小就喜欢的绘画，改变了人生道路。抗战期间接触到汉代瓦当拓本，深受感染，从朴质线条造型的简练夸张手法得到启发，影响了他的漫画笔法。一九四二年得遇漫画人物的大家叶浅予，深受影响，使他对速写人物再三致意，奠定了一种植基于民间传统，而又面对现实社会百态的风格与趣味。

抗战胜利后的十年间，马得的创作以漫画为主。一九四七年的《苗夷情歌》充满童趣，表现了苗家风情的欢乐、直率与缠绵，颇得好评。一九五五年画的《新列仙酒牌》与次年画的《鬼趣图》已明显采用传统水墨人物的技法，承袭古代人物画的写意旨趣。其实，水墨写意人物的旨趣，不止是笔墨技法，还有人物呈现的精神状态及暗示或讽喻性的意指。这就使漫画的夸张讽刺，与写意水墨人物的意境有了联系，也使马得作画在凝聚画面意趣方面，得到文化传统的滋养，有深厚的历史文化资源可以汲取。

且看他的《新列仙酒牌》，显然是受了陈老莲《水浒叶子》及任渭长《列仙酒牌》画人物的影响，但却引入了新鲜的现实内容，激活了人物形象。如《睡罗汉》一幅，旁边还有题词："叶上一罗汉，连经都不看。闲来无他事，支颐入梦间。（饱食终日无所用心者饮）"画的是个圆圆头坐在蕉叶上的中年和尚，烧着香打瞌睡，不但天塌下了不管，连经卷都捆在包袱里从未打开。再如《铁拐李》，蓬头垢面，一脸挖挲的大胡子，拄根铁拐，一拐一瘸的，背上背了个比身躯还大的金丹药葫芦。旁边也有题词："蓬头跛脚铁拐李，金丹藏在葫芦里。人家毛病他全治，就是不愿医自己。（不展开自我批评者饮）"

有了这些尝试，结合现代漫画笔法与传统水墨意趣，马得开始在传统小说戏曲人物中找素材，开拓新的艺术天地了。一九五七年，他画了《北昆彩墨速写》《新编全本黑旋风》，后者却因其反讽寓意而遭到批判。或许是因为政治空气的紧缩，更因为避免政治迫害，马得的水墨画不再进行现实讽刺，脱离了漫画针砭现实的高危区，逐渐深入体会传统戏曲的人生百态。对艺术家而言，只要追索艺术表现之心不失，失之东隅，收之桑榆，也可说是马得戏曲人物取得大成就的原因。一九六三年的水墨戏曲连环画《西园记》（已佚）及一九六四年的《十五贯》，就标识着马得戏曲人物风格的成形。可惜再来就发生了“文革”，全国文艺界批判“帝王将相、才子佳人”，即是打倒了一切传统戏曲的人物，马得也只好搁笔。其间也有因缘际会，偶一为之的情况，画过《孙悟空大闹天宫》《三打白骨精》等连环画。

“文革”之后，传统戏曲解禁，马得也一发不可收拾，重拾彩笔，大画戏曲人物。既画昆剧，也画京剧、川剧、越剧、粤剧，连评剧、黄梅戏也画。不过，他自己说，最喜欢画昆剧人物，尤其喜欢画汤显祖的《牡丹亭》。他画《牡丹亭·寻梦》一折，说：“有人说，中国戏曲是诗剧，这话不假，岂止是诗，诗情画意，载歌载舞，色彩缤纷，集各种艺术于一堂，真是花团锦簇，令人目不暇接。这折戏，表现得最充分。”我想，吸引马得的，不仅是昆曲的唱做俱佳，还有整出戏背后的内容与精神，也就是汤显祖坚持了一生的“意趣神色”。在这一点上，马得的艺术追求，与汤显祖是合拍的，承继与发展了中国文化的艺术精神，不是回到故纸堆中，而是回顾之后的前瞻。

三

黄苗子赞扬马得有“童心”，画得好，是从内心自然流露出来的。他说，马得的艺术有一种意境，“如《老子》所说的‘无名之璞’，如婴儿梦中的笑，如流云经空，如无风鸣籁。如开落在幽谷里的花，如无人见过的朝露，如没有照过任何影子的小溪”。黄苗子的博喻，颇像苏东坡一口气用了七个形象来比喻百步洪，说得有点玄了。真正的关键，在于马得经过长期的艺术磨炼与体验，从中国戏曲表演艺术的展演中，印证了他的审美情趣。也就是对人生经历，对每一个具体人物的实存经验，有一种深刻的哲理与艺术的观照，已经超越短暂的时空现实了。

黄苗子还说：“一般地看来，似乎马得是随意涂抹就能成为绝妙佳作的。其实不然，多年前，我去南京马得家，看到他作画时态度认真得怕人，一个题材，反复画几十遍，换了多少草稿才能一下子‘捕捉’住一幅惬心作品。”马得捕捉到的是什么？当然不是照相机捕捉到的实景，而是画家心中理想的意境，是他长期浸润在戏曲审美状态的心灵追求。

且以这次展出的《昭君出塞》与《惊梦》为例。王昭君的袅娜身段以及去国的悲情，在随意挥洒的赭红淡彩中，表现得活灵活现，自然天成。她抬起右臂拭泪，倾斜的脸庞只用了一团淡彩，两划短短的细线，描出伤心欲绝的眉眼，以最经济也最传神的写意笔墨，画出了昭君“一去紫台连朔漠”的荒凉凄楚心境。马得能画出如此的意境，是汲取舞台演出的艺术展现，而舞台表演的感人肺腑，又来自文化传承中代代相传的想象诠释，都是马得画戏曲人物传神的源泉。再看看《惊梦》，杜丽娘窈窕身段的线条明快沉稳，却又优美清雅，一副大家闺秀风范。柳梦梅则以浓墨湮染而出，充满了流动的气韵，让人感到，这风流潇洒的书生刚唱完了前一段【山桃红】，两人正在合唱："是那处曾相见，相看俨然，早难道这好处相逢无一言？"

最让人佩服的是，马得能够在画面上掌握戏曲演出的流动感。凝视着《昭君出塞》与《惊梦》，时间一久，似乎真可以看到载歌载舞的情愫，听到悠扬婉转的昆曲鸣籁，随着你的心潮涌起。谢赫论画，首列气韵生动，马得的戏曲人物，可以当之无愧。

我欣赏马得的戏曲人物画，已有十多年了，初接触时感到眼前一亮，好像人物正在眼前搬演剧情，演到精彩的节骨眼上，令人想叫好，却又不敢叫，因为正唱在关键上，只好等到间歇才能喝彩。然而，这是画，就此定格了，留下无穷的有余不尽，真是空间与时间的双重留白。

今年（2006年），因为偶然的机会，得以邀请马得来港，在香港城市大学艺廊举办"高马得戏曲人物画展"。老先生欣然应邀，以米寿高龄亲临香港，为画展剪彩。我感到十分荣幸，草此小文，布达盛事。

马得画戏

马得画戏曲人物，别树一帜，融传统写意笔墨与漫画速写手法，追求洒脱空灵的意境。二十世纪画戏曲人物，关良以稚拙天真取胜，叶浅予以线条明畅鲜丽为尚，马得则以墨为笔，把米家山水的湮染，借来呈现戏曲人物的心理状态，可谓别开生面。

他画的钟馗，胡子眉眼一把抓，好像是一团黑墨，糊里糊涂。但仔细谛观，却胡子是胡子，眉眼是眉眼，而且胡子随风飘散的逸致都表现出来了。最令人观之不足的，是钟馗的身段意态，在松慵的袍带冠靴之中，居然显得栩栩如生，透过一团模糊，似乎闪烁着炯炯眼神。有一幅《钟馗还乡》，画面一塌糊涂，像是打翻了墨盒，像张大千晚年的大泼墨，然而添上几笔浓重的朱彩，衬出钟馗旺盛的阳气，虎虎生风，不可一世，气韵生动已极。

他画武戏，用墨浓重，或大泼墨淋漓全幅，显出角色人物的豪迈不羁。看他画的武松打虎，完全是粗线条，拳头如千斤巨锤，枯笔中点上一团褐墨。挨打的老虎，更是粗线条，张开大嘴喘气，吐一块朱红色的大舌头。旁题“空拳胜山君”，笔法粗犷，是板桥体，也有村野趣味。我喜欢他画的鲁智深，几幅《醉打山门》，不但呈现了剧中人的粗豪，也十分诙谐有趣，好像一番打闹，不过小儿嬉戏，头破血流也是证道的门径。马得笔下的林冲，虽然依旧是浓墨几笔，却萧索惆怅，江湖寥落，“少年英雄风尘老”，有家归不得，眼前只有一条梁山路。

同样的浓墨泼洒手段，马得可以用来刻画不同人物的内心感情，让武松、鲁智深、林冲表现出独有而突出的个性。也是同样的泼墨笔法，马得用来画书生，却十分温柔蕴藉，如《惊梦》的柳梦梅、《西园记》的张继华、《卖兴》的郑元和，关键在于用笔收敛，粗犷豪放的墨色湮染似乎不再淋漓四散，而像天公裁剪了一片乌云做衣裳，服服帖帖地穿在书生身上。

马得画才子佳人，虽然还是泼墨手法，但一般用淡彩，而且偏爱石青、浅绛、淡紫与桃红，呈现一种“春三二月天”的清雅，与昆腔水磨调的轻柔优美异曲同工。他自己说最喜欢画《牡丹亭》，想来是佩服汤显祖对文学艺术的执着，对“白日消磨肠断句，世间只有情难诉”的共鸣，才一再画《惊梦》与《寻梦》中的杜丽娘，裙裾轻飘，如诗如画亦如梦。

马得画戏，其实画的是心中的梦。粗豪有粗豪的梦，清雅有清雅的梦。

气韵生动袁运生

——《袁运生画集》序

一

香港城市大学庆祝二十周年校庆，请了北京中央美术学院油画系的袁运生教授，在大学教学楼入口两侧，绘制了两幅宏伟的壁画。袁运生是享誉国际的名画家，在一九七九至一九八〇年间，曾为当时新落成的北京机场绘制巨幅壁画《泼水节》，以其瑰丽璀璨的风格，轰动了中国的画坛。这次绘制的两幅画，一名“夫子琴思”，一名“万户飞天”，融汇了西方油画传统的技法与中国传统文化精神，有超越，有创新，可以视为中国艺术传统的现代转化，不但是艺术精品，也是中国文化更新的重要探索。

二

回想起来，认识袁运生已有二十多年了，初会是在纽约。他一九八二年到美国，活动的圈子主要是纽约的艺术界，特别是华人画家聚会的场合。我的画家朋友多，有的也写诗，常有画展开幕或诗歌朗诵的聚会，偶尔我也参加，就这么认识了。

在我印象中，他沉默寡言，一头浓黑的乱发遮盖不住炯炯有神又带有几分怀疑的眼光，胡髭也有些杂乱落拓，但是嘴角却流露一种倔强的神情。我和他交谈不多，但感觉他是个有个性、有主见的艺术家，不随和，更不会随波逐流。那时有人认为，他的骨气及胆识可嘉，但艺术风格却比不上欧美近代绘画。我的看法则有些不同。当时我也觉得《泼水节》画裸女的自然流露，放在世界美术史的脉络里，算不得什么艺术突破，而且壁画的装饰性相当强，在展示傣族民间生命力勃发的艺术表现上，稍逊墨西哥画家雷维拉（Diego Rivera）

的磅礴气概。但是，因为我是研究文化意识史的，总是强调历史文化的整体积淀，要从具体的历史环境，看艺术家如何突破与超越客观条件，创造或揭示人类生存的意义，所以，十分肯定袁运生艺术追求的诚恳、真挚与勇敢，认为《泼水节》是他艺术追求的开始，以后的作品一定更值得瞩目。

后来，断断续续还见到运生几次，其间听说他到波士顿的塔夫茨大学（Tufts University）创作了两大幅壁画，而且用了中国古代女娲神话为题材，可是没机会去观赏。我对艺术的兴趣，在二十世纪八十年代末期逐渐由绘画转为戏剧，与画家朋友联系得少了，也就不再清楚他的创作情况，只知道他还是画油画，风格近于德国表现主义，属于狂迈放恣一路。再后来，听说他回了北京，在中央美术学院教油画，心想，他当老师，一定有其特立独行之处。

三

几年前香港城市大学进行校园环境改造时，主其事的黄玉山兄就跟我提起，想请袁运生来制作一幅大壁画。我觉得很好，因为当时的城大校园像个厂房，空间设计只图实用，缺少人文艺术气氛，使得师生都是匆匆而来匆匆而去，从来不想驻足其间，涵泳知识与思想的乐趣。改造校园的计划一波三折，有的因香港经济不景气而取消，有的因大学拨款削减而简化，但是，由于主事单位的坚持与努力，锲而不舍，到了去年城大二十周年校庆时，居然排除万难，请到了袁运生。他不但愿意画，还要画两大幅，一幅展示中国文化传统的再生，另一幅则表现中国人探索科技前沿的精神。

为了袁运生的壁画，我曾专程赴北京，造访他在昌平的画室，和他谈创作的构思。他说第一幅画构思比较容易，画的是一位长须老人抚琴，背景是祖国的山川大地，是世世代代中华人民生长于斯的平野田畴。他原先起名“魂兮归来”，也就是藉着琴音袅绕，唤回中华文化的灵魂，重新再创美好的未来。由于香港的同事听到“魂”字有点心怵，怕招了鬼魂前来，请他改个题目，他倒也不坚持，改作“夫子琴思”。

其实，《魂兮归来》是袁运生一九八二年赴美之前写的一篇文章，写他到西北观摩霍去病墓石刻，参观敦煌、麦积山及龙门的壁画与造像之后，受到了极大的震撼，发出了涌自心底的感怀。他写道：

> 我仿佛见到那些在霍去病墓前手执简陋刀凿的创造者们，面对数以百计的天然巨石，惊喜、雀跃、沉思、冥想、才思横溢的挥动凿斧的情形。他们各显神通、相互揣摩、近睹远观、抚摸心测、放刀直下而毫无顾忌。一切理论、经验、方法都融汇于一斧一凿之中。

对北魏雕塑运用线的巧妙，融汇线体，而达到天衣无缝的境界，他如此感叹：

> 可否说北魏艺术之妙在于它重精神、重情感、重整体、重气韵之贯通而借助于体与线的结合？

在文章的结尾，他呼唤着：

追索民族艺术的真精神，才是所谓继承传统的实质。其他的一切，都不在话下。魂兮归来。

他说的“魂”，是中华民族的魂，是这个民族文化创新的精神力量，也是艺术家创作的文化泉源。

《魂兮归来》这篇文章，是一年多前，也就是我们认识了二十多年之后，袁运生交给我看的。我这才了解，他到美国时已经有了清楚的艺术追求，已经掌握了丰富的民族文化与传统艺术资源，在摸索线与体的交汇表现，以期达到超越中西艺术“融合”，创新中国艺术的目标。他在纽约的冷眼旁观，与人交往的若即若离，绘画风格近于表现主义的色彩奔放，而又突出线条的走向与流动，原来都反映了画家一贯的“上下求索”。

四

袁运生为城大画的第二幅壁画是《万户飞天》，灵感来得突兀，构思更是恢奇雄浑，戛戛独造，充满了艺术探索的冥思与乐趣。他一直在想，如何表达人类对科学知识的好奇与追求，如何展现科学家为真理而献身的精神，如何以具体的艺术形象呈现发现宇宙秘密的狂喜。有人会画个爱因斯坦的头像，蓬松的白发映照着睿智的眼神，有人会画居里夫人在实验室中忘情地工作，有人会画即将升空的宇宙飞船，有人会画星球的运转与星空的无际，也有人会画中国古代的四大发明。可是，这些都是老生常谈的题材，实在激不起他创作的激情，提供不了让艺术飞跃翱翔的天空。

他为了这第二幅壁画，冥思暗想了很久，总是找不到恰当的题材。他告诉我，他大哥是研究科学史的，还为他理了一个人类在科学领域探索的大纲。后来他听到了万户的故事，十分感动，认定了这就是他要表现的题材。这个故事的来源不甚清楚，是研究科技史的人追溯火箭升空的历史，发现明代初年有一个万户（不知是真名还是头衔），为了探索穹宇太空的奥秘，要人把他绑在椅座上，周围系住几十枚火箭，点火升空，粉身碎骨也在所不惜。袁运生认为，这个故事里的万户，为追求理想而置生死于度外，是为真理而献身的勇者，也正表现了科学探索的最高境界。我查了查文献资料，在刘仙洲的《中国机械工程史》中找到这个故事，但来源依旧不明。不过，倒是知道，西方科学家发现了月亮背面的环形山，命名为“万户山”，想来也是崇敬万户这种“虽九死而不悔”的科学探索精神，也就不再胶柱鼓瑟，非得找出故事的来源出处不可。艺术创作毕竟不同于历史研究。

袁运生画的《万户飞天》，在线条的运用上更是得心应手，可以呼应他当年看到敦煌造像所产生的激动：

> 你看那些流动在裙与带上的线条吧，几乎平行却有微妙的变化，别致的特征，具有一种秩序，那是理智的平淡，它将你引导于自身，在你视线的褶缝之间留下你思索的轨迹，而且没有一点虚张声势，视觉上是这样的平易……一览无余，闲适安静，正是这平淡，在一种亲切的气氛中，达到物我两忘的好境界，你也不自觉入于清心寡欲的思绪之中。

画中的万户，手执两面风筝，在空中飞翔，襟怀饱满，鼓动着天外的罡风。一副狂喜不可自胜的心情，由圆睁的双目与露齿的欢欣之中，表露得淋漓尽致。然而，那线条的平稳和谐，线与体的交织融汇，是在“理智的平淡”中，展现发现与探索的激情，“没有一点虚张声势”。

我第一次看到《万户飞天》，还是悬挂在他画室中的样稿，已经完成了线描构图，只剩修订上彩的工作。我看到绘制完毕的《夫子琴思》时，就很受冲击，看了《万户飞天》，我告诉他：这是中国画，是融合了现代西方绘画技巧，却完完全全表达出中国文化传统精神的画。你一向是画油画的，继承了西方绘画传统的技法，对画面空间的处理是层层傅彩，制造空间的肌理层次与光影效果。可是，这两幅壁画给我的感觉，却是流动的线条成了主调，满幅是盎然生机，完全是中国绘画传统追求的最高境界——气韵生动。这是否反映了你一直追求的绘画境界？是融合了中西画风，浸润在西方传统之后的超越性回归吧？袁运生非常高兴，那天早上和我坐在画室里高谈阔论，一谈就是四五个小时，连午饭都忘了吃。

谈话中他特别强调中国文化传统的重要，引了潘天寿的话：“中西学术要推开距离。”他认为，这句话对当代的中国艺术家有振聋发聩的作用，因为学习西方，不是为了跟在西方后面走。中国的艺术传统与理论很高明，用不着费劲去弥合东西方的文化距离，追求“国际化”。其实，“融合东西”这说法不太准确，容易误导。学人家，是为了吸取，为了发展自己，使自己更有生命力。文化不能搞共同，不能搞一致性，太乏味。西方有西方的艺术传统，很好；中国也有中国的传统，也很好。“谢赫六法”的理论，传了一千多年，说得很好，为什么要放弃？“气韵生动”可以涵盖许多，说得并不死……

五

虽说认识袁运生二十多年了，然而以前是点头之交，没有深契的来往。直到近两年，因为他画香港城市大学的壁画，才有了高山流水的因缘。他在一九九六年回到中央美术学院主持油画系第四画室时，在教学大纲中明确指出，要“从发展现代文明的角度研究中国民族文化的精神”，“以此作为发展现代中国艺术的基础和源泉”。现在回头看，这是袁运生再清楚不过的创作理念。经过了几十年的磨炼，锲而不舍的追求，眼前这两幅壮观的壁画，并列在香港城市大学教学楼的入口，明明白白告诉我们，什么是中国文化传统的底蕴，什么是现代艺术的创新，什么是“气韵生动”。

建构空间的书法

——与董阳孜对谈

一

认识董阳孜有好些年了，觉得她是个有趣又可爱的人。她的字师法颜真卿，气韵饱满，结体谨严，又有流畅妩媚的韵道，耐看。我们都喜好昆曲，因为昆剧正式演出的机会不多，反倒是每次演出时，胜友云集，所以常在剧院见到面，总是谈戏多，很少谈书法。有一次我请她到香港城市大学来，讲讲书法艺术，她摇摇双手，连说："我不讲，我怕，我上台就害怕，我是家庭妇女，不会讲。"好像我设了什么圈套，要陷她于不义的样子，弄得我于心不忍，只好说："好了，好了，不逼你。下次给你办个展吧，不要你讲话。"

其实，董阳孜不但会讲话，还很喜欢讲话，讲起来滔滔不绝的。只是她有艺术家的个性，不愿意在公众场合讲。私下朋友聚会，她“演讲”起来，可是动听极了。

去年（2000 年）初我在台北，董阳孜说她在历史博物馆有个大型展览，要我去看。我去了，她笑嘻嘻地站在门口等我，好像一个大姊姊，正要打开匣子里的玩具，展示给弟妹观赏。我进去一看，大吃一惊，因为有的作品一件就占满了一面墙，一个字有人这么高，元气淋漓，龙飞凤舞，气势磅礴。我说，你的书法有气派，我是知道的，可没想到有这么大的气派，如泰山压顶，黄河决堤，太吓人了。她就站在那里笑，笑得开心，一点也不像“家庭妇女”。于是，我们就开始筹划，如何把这个书法展搬到香港，如何也让我们的学生得点艺术的震撼。筹划的细节我就不讲了，让我伤透脑筋的是，这批作品气派太大，件数太多，我们艺廊的空间太小，如何展现呢？后来幸亏得到香港科技大学图书馆的协助，与我们同时合办，把作品分两地陈列，才解决了问题。

二

我问董阳孜，她是怎么开始接触书法的。她说，是她的父亲想她跟弟弟不要乱跑，在家安安静静的，就给了他们字帖，学写字。她那年九岁多，学的是颜真卿的《麻姑仙坛记》，一写就入了迷，停不下手。我就想到自己小时候，父亲也要我写字，从描红开始，我却始终坐不住，所以字也写不好。阳孜从小就喜欢写字，当然是天生有此性向，却不见得是遗传，因为她的弟弟就坐不住，她的女儿居然还嫌写字会脏手。

董阳孜初学书法，每天习小字两百个，大字一百个，从不觉闷，只感到兴趣日加浓厚。如此，当然进步很快，也练出了功夫，中学时就显示了才华。十七岁那年，得了“中日亲善教育书画展金赏奖”，受到肯定，更加深了自己的兴趣。不过，她声明，自小对比赛没有太大的兴趣，当时得的奖项，都是老师拿了她作品去参加比赛的。她也没有想到，将来会以书法为自己的事业。

我问她为什么决定去上台湾师范大学艺术系，她说，本来是想念建筑，作建筑师的，可惜化学成绩不好，只好改考艺术，因为当年建筑是属于理工科的。我说，这很有意思，因为书法的结体，也是笔画结构与空间的处理，很可能你对建筑的兴趣，跟这个有关。阳孜也相信是，并说："现在台北有很多建筑师、设计师，特别喜欢我的作品。他们就说，从我的作品里，看到三度空间。"

三

董阳孜这次展出的作品，全是大字，最大一幅作品，有十二尺乘十五尺，气魄恢宏。有些人疑心她是用两支笔，先写小的字，再写大的，其实不是。她说："我非常传统，我一定是从右边第一个字开始，写到左边最后一个字，所以，一个字连起来而且不断气，一气呵成，这才是书法的精神。"她在构图方面，先用小纸片起草稿，胸有成竹之后才落墨，有时可以一挥而就，有时却不得不写上数次，因为同样笔画，可有不同写法，一笔一画，都力求完美，不想有丝毫瑕疵。

我觉得她书作的整体构图，与她对建筑空间的兴趣及留美时专攻油画有关，她也同意。中国传统书法的呈现方式，有其实际的功用，比如说对联、中堂，怎么挂法，跟居住环境、空间，以至整个生活形态有关。而现在的中国人生活环境改变了，书法与生活逐渐无关，成了独立的艺术作品。如此，作品的构图考虑，也就与传统的环境不同了。董阳孜虽然认为西画跟书法之间没有什么直接的关系，但是她个人学油画，都是画大幅的，所以觉得在大的平面上，可以来结构自己想要表达的东西。因此，无论是构图或造型，学油画的经历丰富了她对书法的看法。

董阳孜还谈到，她很欣赏于右任的草书，线条非常优美，空间安排十分精致。但是，再怎么说，他都是在写字，在写承载有意义的中国文字，经常是一些诗句。这一点是董阳孜坚持的文化传统，就是想用中国文字的结构，去表现一张画面的同时，也不忘记文字是意符，有特定的意义，所以，从呈现的文字也传递了书家想要表达的感觉。

四

我们就由此谈到了西方的艺术家，如弗朗兹·克莱因（Franz Kline）和莫里斯·路易斯（Morris Louis）等人，都受中国的书法影响。阳孜认为："他们不懂笔墨，只是拿着笔挥洒而已。那么，我就要告诉他们，我们中国毛笔是有节制（discipline）的，而且，可以控制得非常好，我要在这么大的空间中表现出来。"我觉得她说的很好，因为现在有些抽象水墨画家，着眼的只是一种通过水墨湮染的纯粹线条，跟中国文字无关。阳孜是认为，与文字无关，与书法传统无关，就缺少控制，缺少书法的节制。

我说，那种所谓展现东方艺术风格或气息的尝试，是一些抽象画家寻求自由的方式，禅也好，老庄的回归自然也好，都是要探求艺术解放。可是，艺术创作有一种表现的脉络，特别是中国的书法，有其传统。中国书法过去可能讲结体、讲家法、讲流派，讲得太多了，太紧了，规则太严了。那么，你怎么松开它，同时又能有创意，才是书法的解放与创新，而不是撇开中国文字，只玩线条，因为艺术本身不是一种完全自由解放，艺术是一种有控制的解放。董阳孜听了大为高兴，说："这个我同意！"

其实，我们都同意，认识文明与艺术的传统与限制，才能有所掌握、有所突破、有所超越。创作的自由翱翔，来自掌握了所有的限制之后，能够有的一点新发展。假如完全漠视传统，一开始就抛弃前人的成就，践踏过去的贡献与成果，就难免有点狂妄，也难有大成。

本文对谈部分由周立民转录整理，作者改定

“笔墨潋滟”前言

宗白华《中国书法里的美学思想》一文，说中国古代书家在写字的时候，要想让笔下的“字”表现出生命的态势，“成为反映生命的艺术”，“就须用他所具有的方法和工具在字里表现出一个生命体的骨、筋、血、肉的感觉来。……通过较抽象的点、线、笔画，使我们从情感和想象里体会到客体形象里的骨、筋、肉、血……”这种把书法本身当作有生命的形体，固然强调的是艺术体会的移情作用，但更重要的是，反映中国传统美学思维中“天人合一”的精神，企图通过人为的艺术发抒，达到自然所展现的天工，创造情景交融的意境。

书法讲究笔墨，用笔墨展现有生命的字形，最自然的联想当然就是人体本身的筋骨血肉。早在传为卫夫人的

《笔阵图》中，已有“筋、骨、肉”的说法：“善笔力者多骨，不善笔力者多肉。多骨微肉者，谓之筋书；多肉微骨者，谓之墨猪。多力丰筋者圣，无力无筋者病。”这里强调的筋骨，就是线条艺术的骨架与结构。书法艺术最基本的特质，是空间结体的线条安排与灵动。要结体美观匀称，首先就得讲筋骨，骨是柱础与梁檩，筋是综绾建筑的结构技巧。然而，既用人体作为譬喻，则有骨无肉只是骷髅，血脉不通则为僵尸。因此，古人论书又大讲血肉。南朝王僧虔就说：“骨丰肉润，入妙通灵。”这个说法，想来一定让苏轼听得入耳，不单是因为东坡的书法以肥腴见称，还因为他明确说过：“书必有神、气、骨、肉、血五者，缺一不为成书也。”

有关书法的“神气骨肉血”，古人的讨论很多，有些甚至做出相当机械化的技巧分类，长篇累牍探索运笔用墨的骨肉筋血之法。如元代陈绎就提出极为具体的操控秘密，在《翰林要诀》中告诉我们，书法要诀可以明确到“水者字之血也”“大指下节骨也”“字之节，笔锋过是也”“字之肉，笔毫是也”等等。对于这种过于繁琐而机械的说法，我们不能太过认真。若要奉为指南，不过是塾师教小学生练字，并不能圆满解释书法艺术的精髓。我们要记得，说书法的笔墨结体有其筋骨血肉，是为了形容艺术展现生命流动的譬喻，而譬喻是永远不能竭尽其比喻的本体的。

古人讲用笔，有各种各类的技法，有中锋、侧锋、藏锋、出锋、方笔、圆笔、轻重、疾徐，五花八门，不一而足。关键还是在，如何利用毛笔的特性，通过水墨，在各种质地的纸张上，展现线条美，也即是如何在空间中表现点、线、面的艺术感，而能触动我们的心灵。

说到底，书法是线条艺术，也是空间中线条流动的艺术。字迹流动的空灵或滞重，牵动人们的情感与脉动，影响人们的心境与情绪。再加上文字内容所蕴积的文化感染，便会编织出错综复杂的艺术展现，凝聚成生生不息、可持续发展的书法艺术传统。

在中国文化传统中，“书画同源”是长久以来积累的共识，反映了汉字有其象形基础的特色。古人论画，时常探讨书法精髓，分析线条流动所萌生的自然韵律。唐代张彦远在《历代名画记》中说到草书之体势，“一笔而成，气脉通贯，隔行不断。唯王子敬（王献之）明其深旨，故行首之字，往往继其前行，世上谓之一笔书”。这里说的“一笔书”并不仅仅说的是草书，也不是民间写“一笔虎”那种一笔字，而是说通篇一气呵成，让个别字体与全幅文字相互照应，气脉贯通。后来石涛在《画语录》中，更联系到天人之际，发扬光大之：“一画者，众有之本，万象之根，见用于神，藏用于人，而世人不知。”似乎说得有点玄，但接着讲“一画”之为用，却明明白白说的是书法艺术的体会：“动之以旋，润之以转，居之以旷，出如截，入如揭。能圆能方，能直能曲，能上能下，左右均齐，凸凹突兀，断截横斜，如水之就深，如火之炎上，自然而不容毫发强也，用无不神而法无不贯也，理无不入而态无不尽也。”

石涛所说的笔墨奥妙，虽然源自鸿蒙，但还是要通过个人的艺术体会，才能上天下地，无所不能，金石水火，无不贯通。其实，说的就是精研前人累积的传统，在磨炼砥砺之中，找到自我完足的艺术展现方式，把自己的艺术体会倾注于笔墨的发挥。如此，便能如庄子《逍遥游》中说的鲲鹏，上天入海，无往而不利。

文徵明曾经批评明代人不肯学习传统的精华，只会要弄些花拳绣腿的技巧，要不然就是泥古不化，抱残守缺。他说：“自书学不讲，流习成弊，聪达者病于新巧，笃古者泥于规模。”要写好字，必须具备书学功夫，融会古人传承下来的艺术展现，同时还得胸中自有丘壑，学习古人而能自出机杼，内化传统，表现出个人的艺境。

浙江杭州的中国美术学院，是中国最早设置大学本科书法系的高等教育机构，历来的教师中有许多书法名家，如潘天寿、陆维钊、沙孟海、诸乐三等先生，香火薪传，使得书法艺术可以在二十一世纪继续发扬光大。此次在香港城市大学展出该校教师作品，旨在文化艺术的交流，使杭州、香港两地的书法同好，得以藉此相互切磋，共创书法艺术的新机。

“粤港台三地书法展”序

书法是中国文化蕴积的奇葩，是几千年来汉字书写发展出来的独特艺术。虽说拼音文字也有其书写美观之道，讲求字体的整齐与线条的平衡，但与汉字造型的千变万化来比，拼音文字的字母符号，在空间安排的艺术展现上，就显得单调与机械，难登大雅之堂。

关于汉字的造型，历来有“六书”之说：象形、指事、形声、会意、转注、假借。说到底，就是象形文字抽象化的过程。通过虚拟示意的手段，高度提炼出来的意义符号，既有原始的喻物写实功能，又有纯粹线条变化的想象空间。因此，可以海阔天空，鸢飞鱼跃，在片楮之间，施展“一沙一世界，一花一天国”的本领。

书法之能成为最高境界的艺术，成为中国文化的瑰宝，为其他文化所不能企及，首先要归功汉字的特质，以及三千年来使用汉字的亿兆人们的日用实践。无论是篆、隶、楷、行、草，甚至是各种独特的字体，都有深厚的前人心血作为基础，赋予无垠无际的文化联想与创作暗示。也正是因为汉字的文化特性与源远流长的书法传统，才能给予后人丰富的艺术提示，发挥个人的艺术体会，创造出浸润了传统的独特风格。

有人说书法之道，二王已臻神妙，后人再也不能逾越，只能依样葫芦了。其实，完全不是那么回事。清代梁巘的《评书帖》中，有这样一段话："学欧病颜肥，学颜病欧瘦，学米病赵俗，学董病木米纵，复学欧、颜诸家病董弱。"反过来看，就是各人有各人的独特风格，无可取代，留给后人的是更多的发展方向与更深厚的基础。历史上有过李白、杜甫、莎士比亚，将来的人还会进行文学创作；世上有过王羲之、王献之，二十一世纪也会出现令人赞佩的书法家。

香港城市大学这次举办"粤港台三地书法展"，就揭示了当代书法家的作品，各有各的风格，值得喝彩。

艺术的温柔与关怀

艺术是什么？你去问艺术家这个问题，一定得不到统一的答案。要给艺术下一个普世的定义，不是艺术家的追求，而是哲学家与美学家的学术兴趣，与艺术创作无关。热衷探讨艺术美学定义的学者，除了少数别具慧眼的敏感心灵，往往是个艺术盲，不但色盲，而且心盲。站在真实的艺术作品之前，面对实际的创作成品，经常是茫然不知所措，完全无法洞察艺术家想要展现的寓意，无法评鉴技巧的高低，当然也就不能辨别作品的好坏，只能借助书本知识，贴上一些似是而非的标签，挤出几句模棱两可的学院术语。

贡布里希（Ernst Gongbrich，1909–2001）在他的《艺术的故事》中，特别指出，世上没有放之四海而皆准的艺术（所谓 Art，“大写的艺术”），只有个别的艺术家，发挥个人的想象与追求，创作出具有独特风格的艺术。世上没有真正的艺术家，就没有值得欣赏与赞誉的艺术，当然也就没有值得一读的美学著作。他是一个美术史家，是学术圈内奉为大师的学者，会说出这样甘冒学界之大不韪的话，想来一定是有感而发。说到底，艺术是艺术家的感情发抒，必有真感情，才有真艺术。

近来在台北当代艺术馆参加“2015 香港周”开幕，参观了许多香港艺术家的作品，深受感动，觉得这一批中青年艺术家的创作展现了发自内心的真感情，胸怀宽广，充满人世关怀，同时在表现技巧上也令人瞩目。限于篇幅，我只能举几个例子，挂一漏万，在所难免。

本展的主题是“以艺术之名”，当然是有深意存焉，是要反诘一般人对艺术的认识，而“提出一种生活探问，一种倡议行为，甚或一种社会行动”。策展人在展览简介中说：

> 这种“似是而非”的特性反映了香港当代艺术的走向。这种重视过程及群众参与多于制成品、竭力把艺术

还原于生活、以艺术介入社会的“作品”，其实是“反博物馆”“反展览”的，所以我们希望展览只作为一个引子，引发观众的好奇，从而对艺术和生活重新思考。

这段话总结了一些香港中青年艺术家对待艺术创作的探索性态度，是面对生活，探寻内心的真实感情，而非依样葫芦，模仿艺术传统的典范，更非随波逐流，跟着市场走。“以艺术之名”，可以有不同的意义与取向，有人追随艺术市场，以市场的金钱回报作为创作的目标，是假艺术之名，行商业之实。有人则发自内心的艺术冲动，思考自我的生命意义，观察并介入人类社会的生存处境，通过艺术创作寻找生命的意义。虽说是见仁见智，每个人都有选择的自由，但是其中还是有高下之分，有狷介与低俗之分，有真艺术与假艺术之分。其实，艺术创作本来就跟真实生活与社会关怀息息相关，但却具有世俗规范视而不见的超越性、前瞻性与叛逆性。艺术家心灵敏感，具有常人缺少的直觉触角，能感知社会生活动向的先机。当社会生命平衡感失调，就会刺痛艺术家的心灵，造成撕心裂肺的悸动，从而逼迫真正的艺术家凝聚内心的冲动，升华为艺术。因此，当庸俗虚伪的假艺术家大量制造艺术商品，从中获取俗世艳羡的名利之时，呕心沥血的真艺术家却时常被人视为异端、孤僻、不合群，甚至是反叛、颠覆、反社会、反道德，不为当世所理解。

策展人还说："展出八位艺术家的十三组装置作品，希望它们人性化、平实、内敛、感性、具亲和力的性格能感染您。"说到了这些艺术展品的特色，就是实在、温柔、平和，希望通过艺术展示，和观赏者娓娓谈心，藉艺术来沟通心灵。基调非常清楚，就是以艺术抗拒社会的非正义与不公平，捍卫人类追求的真善美，却能保持自身"温良恭俭让"的文化修养，就像孔子生活在乱世，生活在社会秩序颠倒的时代，却一生追求人类伦理的真正和谐。

策展人早就告诉我，他们要用香港过去流行的红白蓝三色塑胶编织布，把当代艺术馆包起来，以突显香港特色风味。说到"包裹艺术"（wrapping art），把美术馆包起来，甚至把柏林国会、把埃菲尔铁塔包起来，都不是什么新鲜事，所以，从艺术灵感与技巧层面来看，无大新意。倒是又一山人坚持使用红白蓝三色布，作为他一切艺术展现的载体，把香港日常生活的点点滴滴都包进去，却是相当真切踏实的感受，呈现了香港生猛鲜活的生命力，关注庶民日常生活的感受，以最普通常见的生活用品作为艺术创作的素材。在艺术馆门口，看到红白蓝三色编织布包起了整栋建筑，还隐隐约约印着一些文字，念出来是："这是我家，有喜有悲。"馆内还有一幅作品，在三色编织布上写下美好的祝愿："我希望：孩子能够脱贫；我希望：香港明天会更好。"字迹与书法好坏无关，却流露出真挚而善良的愿望，十分感人。

展厅一进门，首先看到一个展览，关于香港艺术家每天的例行工作，称之为艺术家的练习曲。创作询问了一百位香港艺术家，问他们每天做什么，用简单一句话写在纸上回答，然后用两块小木板夹住他们的回答，用细绳绑起来，建立了一排艺术档案。然后放上网，要求读到的人也用一句话与一张图片回应，如此便建立了艺术感情的沟通，使得艺术创作理念有了跨越时空的环流。我觉得很有趣，就跟那位年轻的艺术家聊起来，称赞他们创造了一种温暖的艺术交流空间，让创作与观赏提升到相互感应的层次，也让人们参与，有了艺术心灵的沟通。在当今职业分工到了极致，每个人都异化成社会生产机器的螺丝钉，社会生存几乎变成养鸡场或养猪场的时代，人们的心灵处于完全隔阂的状态，能够打破人际隔阂，即使意见不同，能够彼此交流而和平共处，就是一大功德。

之后看到一组作品，是以房地产为主题。墙上全是房屋中介的广告，五花八门，地产现实与艺术想象交叉，反映了港台生活最现实迫切的心理挫折。内容充满了颠覆性，如“做人要有GUTS，买房要有TASTE：豪宅每坪三百万”，旁边的广告则是“艺术无价”（Priceless Art）。另一个展厅满墙都是砖头形状的贴纸，问观众一个问题：“为了买房，你牺牲了什么？”要观众写在砖头贴纸上，共享生活在地产霸权下，有过什么样的经验与痛苦，凝聚为当前社会的集体记忆。在这些贴纸上，你可以看到“爱情”“毕生努力”“一家人不吃不喝十年”“人生意义”“生命如垃圾”，各种各样的生活体验相濡以沫，好像在相互安慰人生的坎坷。房间当中的装置艺术《一坪金砖》，占地刚好一坪，用金砖堆成一个金字塔，光耀闪亮，熠熠生辉。艺术家告诉我，每一块金砖都选用特别耀眼的金纸，上面印着“房屋是必需品不是金砖”，里面包的只是白米，象征住房跟吃饭一样重要，是生活的必需品，现在却成了房地产发展商剥削人民的工具。

还看到一个以中秋赏月为主题的展览，创作者是新界长大的艺术家，呈现了旧日家庭团聚的亲情温暖。透过蚊帐、蚊香以及荧荧如豆的灯光，望着远方的月亮，感到时光飞逝，过去新界农村紧密的家族纽带，不知未来是否依旧如昔，令人有今夕何夕之感。但愿人长久，千里共婵娟。

最大的展厅展示了硕大无朋的帐篷，吊在空中如垂天之云，周围用废弃的蓝黑色雨伞布缝缀而成，当中则是乳白色的同心圆，象征明媚的月亮，主题是邓丽君的“月亮代表我的心”。废弃的雨伞布是废物利用，特意请过去从事车衣业的女工缝缀，不但有环保意识，还充满了对过去开创香港经济奇迹的底层人物的敬意。邓丽君的月亮是温情的，是柔和的，可以抚慰所有人世的悲伤与痛苦，人不分老少，地无分南北，不分阶级、不分性别，都能感到美好的祝愿。一首大家都唱，而且唱起来充满柔情蜜意的歌曲，或许本来只是时代流行曲，因缘际会，在我们生活的喧嚣混乱之中，却如空谷兰馨，散发淡淡的幽香，希望世人都能温柔，都能温柔对待彼此，温柔对待大地。

艺术永远超越政治；艺术长存，因为它关怀人生，也关怀社会政治，永远分享我们的痛苦与挫折，永远给人希望。香港的艺术家如此温柔，现代艺术也就温柔。

“山水映像”展览序

孔子曾说：“仁者乐山，智者乐水。”以山水自然来比拟人格的倾向，说有修养的仁者与智者，可以藉着山水之乐陶冶性情。这句话虽然引出了后世的不同诠释，众说纷纭，但也明确显示：中国自古以来寄情山水，不是以山水为纯粹外在的对象，而与人的思想情感息息相关，相互观照。

儒释道三家的终极关怀虽有不同，涉及人与自然互动和谐的认识，则基本一致。展现在艺术理论的探讨上，儒家强调“天人合一”，佛家有禅宗“言语道断”的超悟之旨，道家更有“得鱼忘筌”“意在象外”之说。在艺术创作实践上，则追求超越具象的艺术境界，提升到“有余不尽”、超越个体短暂经验的性灵体会。中国的山水画与园林艺术，就是藉着艺术创造的小天地，展现“师法自然”的典型例证。这个小天地，不是从客观自然截取的一方美景，不是用画框或围墙限囿的断片，而是充满了元气、生生不息的小宇宙，蕴藏着人类想象的无尽空间。

这三位参展者分别是建筑师兼摄影家，书法家和画家。虽然他们展现艺术的媒介不同，有的是透过镜头，有的则运翰毫于宣纸，但创意都来自“师法自然”的传统，与山水画及园林艺术的旨意相同。

因此，这一次展览，可以视作寄情山水的现代诠释。或许还有人可以从中参悟自然的人文意义、自然的艺术转化以及自然的人情投影，则“师法自然”就可以衍生许多层次的体会，丰富了寄情山水的艺术传统。

香港是个喧嚣闹攘的城市，大多数人无暇去想山水园林之趣，也无心去思考性灵的提升。然而，喧闹之中也有一些艺术展示的小天地，可供我们体会“以小见大”的意匠与手段，并由此开拓想象的空间。在日常狭隘的实际空间里，展开了艺术想象的无穷天地，便可上下古今，观照“行到水穷处，坐看云起时”的境界。

传神写照
——李华的水墨世界

中国画的传统，上溯到原始时期，是线刻岩画及彩绘壁画（如红山文化壁画残片），后来还有春秋战国的帛画人物，以至于汉唐砖画、壁画，总之是以人物生活题材为主。这与一般人所熟知的中国绘画，特别是水墨渲染的山水画，是相当不同的。从历史发展来看，上古时期绘画虽然以线绘人物为主，唐宋以来的主流题材却“天人合一”了，着眼于人与自然的和谐。人们内心追求的理想秩序，通过山川大地的重组安排，在画家笔下达到艺术境界的展现。

宋元以来的中国画，充满了士大夫文人气息，以画中山水写胸中溪壑，提高了绘画的精神超升价值，逐渐形成一种普遍的审美印象：山水画是中国画的正宗。又由于绘画材料的发展，水墨渲染的技巧得以发抒画家的创意风格，泼洒笔墨，淋漓尽致，遂使“写意”成为嫡传，而水墨写意山水更臻艺境之极。倒是肇启中国绘画的人物题材，反而成了附庸。虽然也有少数大家，如陈洪绶、任伯年，可以独辟蹊径，毕竟难与山水正宗抗衡。

李华展出的画作，以淋漓的水墨笔法，或写人物，或写风景，或干脆以抽象表现手法展示水墨意境。乍看似继承中国水墨传统，再看却又不像。人物不是传统线描，风景既无山水皴法又无烟霞之气，抽象手法更不同于传统的具象写意。与传统中国画对比，这次画展最突出的作品，则是整幅的头像，男女老少，各具姿态，好像画家的大笔一挥，人物的性格就跃然纸上。李华的人物肖像，虽是水墨渲染，与中国人物画传统却大不相同，因为过去即使有水墨人物（如梁楷、徐渭、齐白石、李可染的画），也都是情景之中的人物，经常带有历史文化典故，不会把艺术呈现凝聚在一副面目之上，占满了空间，连“留白”的余地都没有。

中国传统的水墨画讲究“留白”，不独山水如此，人物亦然。李华的水墨肖像却不同，画面上似乎有“白”，然而面目展现的性格，姿态万千，气势磅礴，早就填满了一切空间。若要分析画幅的空间处理，李华的水墨人物，虽然只是寥寥几笔，貌似传统水墨的有余不尽，其艺术感染的强度却似一幅油画，让人想到达·芬奇（Leonardo da Vinci）或伦勃朗（Rembrandt van Rijn）的肖像作品。

在宣纸上晕染水墨，却给人油画的感觉，是值得我们深思的文化现象。是创作者呈现的艺术手法与传统不同呢，还是欣赏者有了新的文化艺术联想背景？不过，有一点可以确定的是，中国过去的人物画不是这样画肖像的，不会用水墨笔法画一幅满得溢出画框的大头像，也不会用如椽的巨笔来勾勒面部的表情。于此，我们看到了李华水墨世界的新意，看到了中国水墨笔法的新人物。艺术需要创新，就像溪流需要源头活水，才有汩汩生机，否则就成了死水一潭，只会藏污纳垢，滋生病菌。李华的水墨画让人耳目一新，甚至想到西洋绘画传统，正是中国画向前发展的源头活水，有着文化开创的意义。

说到李华水墨展现的风格，固然可以上祧吴昌硕、齐白石、李可染，乃至于八大山人，我却不禁想到当代美国画家莫里斯·路易斯（Morris Louis）。他以彩色宽线条渲染在画布上，追求抽象的水墨之趣，倒是以实实在在的淡雅色彩，让人感受一种油画中少见的飘逸灵气，触到所谓“墨分五彩”的精蕴，真是吊诡之至。莫里斯·路易斯追求中国画的水墨情趣，发展了西方油彩绘画的抒情新风，固然是东西艺术交汇的吊诡呈现；而我居然从他粗线条的疏淡色彩中，感受到“墨分五彩”之趣，那才是东西文化交汇的吊诡之吊诡呢。然而，这里正涉及了中国画的发展前景，及其蕴涵的历史文化开创新机。

若只讲线条的呈现与水墨的力道，则李华的如椽巨笔，渲染过画面的艺术效果，非常接近莫理斯·路易斯，虽然题材与艺术创作宗旨并不相同。若要说大头像题材，则李华的作品虽在中国画传统中“前无古人”，倒和纽约的查克·克洛斯（Chuck Close）有异曲同工之妙。说是“异曲”，因为两人的风格与表现手法大异其趣，不过，画大头像，占满画幅的想象空间，倒真是有“同工”之效。恰克科罗斯的手法，兼有印象派与“照相写实”的科学实证精神，好像把一张质地粗糙的印刷相片无限放大，再把放大的网粒进行细致加工。近看像点画派风格推展到了极致，五彩斑斓，让人想到测试色盲的图纸，远看却相当生动传神。李华的大头像，则以流动的线条渲染过纸面，线条虽粗如巨椽，手法却如行云流水，随兴所至，毫无窒碍，令人想到庄子所说的“庖丁解牛”。从创作手法而言，李华遵循的，是苏东坡称赞文同的“成竹在胸”，以意为之，又确实追随了中国水墨画的精神，解缆放帆，率性而为，充分流露内心情感的跃动。

顾恺之曾说，画人物画的关键要义，是“传神写照”。对“形”的掌握与呈现，是为了表现“神”。这是谢赫六法首标“气韵生动”的宗旨，也是魏晋以来中国画传统的基本精神。到了近代，齐白石还说“古人作画，不似之似，天趣自然，因曰神品”，更指出“作画妙在似与不似之间”。黄宾虹论画理，也时常强调“无法中有法”“乱中不乱”“不齐之齐”“不似之似”“须入乎规矩之中，又超乎规矩之外”。从这个脉络来看，李华的水墨世界虽然透露了现代东西文化交汇的精神，却仍然呈现了中国绘画传统的基本精神，既可说是“中国的现代画”，也可说是“现代的中国画”。

新水墨艺术的思考

香港艺术馆策划了一系列展览，以“香港艺术：开放·对话”为主题，呈现了当代艺术探索的重要议题。最近（2008年8月）展出的是“新水墨艺术：创造、超越、翱翔”，由金董建平策划，展出香港这半个世纪以来水墨画创新探索的成就，更提出了艺术探索打破常规、逾越疆界的问题，十分发人深省。我参加了开幕典礼，见到不少久未谋面的老朋友，并且仔仔细细观赏了展品，从丁衍庸、吕寿琨，一直到费明杰、蔡国强，想到了不少问题。

说到“水墨艺术”，当然是以水墨技法作画，也就是继承中国画的水墨传统，在现代做探新的创造发展。“新水墨艺术”展览之“新”，在于不少展出的艺术家并不使用水墨技法，而用“新水墨”技法，如费明杰以混合素材创作的有机植物，蔡国强使用火药爆炸造成宣纸烧灼的效果。这就引出了一个问题，混合材料做成的悬挂雕塑装置，以及火药爆炸产生的“类泼墨性”效果，可以称作“水墨艺术”吗？

策展人显然认识到这个表面就自相矛盾的问题。怕观众指责为“名不副实”，于是特别提示是“新水墨”，不是传统水墨，还提出“超越、翱翔”的概念，把这一批与传统技法相牴牾的艺术作品，归类到展览的最后一组，“水墨：是耶？非耶？”在整个展览的六组分类安排上，第一组“水墨导航”展出丁衍庸、吕寿琨、陈福善，是从传统的大写意进入现代抽象画的蘽始；接着是“传统外象”，包括了王无邪、方召麐、刘国松；再来的三类“城市人文的变奏”“文字非文字”“水墨新时空”，还都大体上是使用水墨与纸张的现代艺术，甚至只是书法的变形探索。这最后一组就不同了，已经超越了水墨的使用，标明这是水墨艺术探索的极限，不确定是不是还可以称作水墨了。

我跟策展人金董建平曾多次讨论过“新水墨”的定

义问题，一方面同意暂时可用，算是策略性的权变，多少扭曲或拓展“水墨”的意义，打开一个创新的局面。另一方面我们也都同意，这个称号不太恰当，但又暂时想不出更恰当的说法。我认为，坚持使用“水墨”一词，称之为“新水墨”，而不用既笼统又简单的“现代中国画”或“中国现代画”，虽然引发质疑，却能涉及传统书画内涵的意义，引起更深层的思考，对中国画家的艺术探索产生强烈刺激，迸发灵感，继续中国水墨画的精神。或承袭，或颠覆，或扭曲，总之还有历史文化的脉络可寻，还在开创与拓展中国文化的艺术精神。

是真名士自风流

——"区大为书画篆刻展"缀语

区大为不以诗名世，然而他是一个真正的“诗人”，一个执毛颖握刻刀、胸中自有丘壑、生活在诗境之中的艺术家。说他是诗人，他一定第一个站出来反对，说自己偶尔写几首诗自况自娱，怎敢戴此桂冠。的确，写诗不是区大为艺术探索的天地，他的天地是书法、篆刻、山水，是笔墨不是文字。然而，我说他是“诗人”，是从大处落笔，不拘其专业所长；是说他艺术创作的心灵状态，不计其艺术成品之功。因为艺术创作到了最后，超越了技艺的层次，就是艺术家心灵的探索，对自我生存意义的追求。达到了这个境界，艺术作品就超越了潮流与市场，超越了物质的商品价值，呈现了独特的风格，影响所及，不论是书画篆刻还是诗词歌赋，乃至于立身处世，无不流露高风逸趣。古人说，是真名士自风流，区大为可以当之，所以，是“诗人”。

不过，这个诗人不怎么写诗，诗韵风流要从书画篆刻之中来看。香港城市大学艺廊二〇〇三年三月十五日至四月二十一日举办区大为“朱墨两近”书画篆刻展，我忝为主办者，先睹为快，也就来谈谈我感受的诗韵风流。

先说书法。区大为早期以隶书著称，书法波磔，颇有奇气。其中当然有邓石如、何绍基一脉相传的奇诡求变路数，但毫无疑问，更受了吴昌硕引篆刻入书法的影响。有些笔触，实为刀法，在磅礴之中带有秀逸之气，望之如魏晋士人临风而立，与吴昌硕以石鼓大籀为基调的风格倒是不同。通体而言，他的隶书充满了童趣，在质朴与稚拙之中，捕捉自然原始的风韵，很像关良的戏曲人物，回溯传统文化资源，由摹古走向了童稚，开创了书法的现代新貌。

区大为的书法近年来渐由早期的恢奇不羁走向沉潜厚实，由一九九六年的大字《李贺联句》“大漠沙如雪，燕山月似钩”，到一九九八年的大字联句“不敢为异，岂能强同”，再到二〇〇二年的对联“水为善下方成海，山不矜高自极天”，可以清楚看到他艺术内敛修养功夫。

他的篆书也经历了类似的发展。从吸取甲骨文而独树一格开始，逐渐由诡谲支离而意趣冲融，也可看出书家臻入诗境的过程。典型的例子是他篆书《梁启超词句》：“不恨年华去也，只恐少年心事，强半为消磨。”其实区大为不必担心，只要艺术境界有所提升，即使少年心事受到岁月的消磨，也会在琢磨之后发出美玉的光辉。这幅字极有雅趣，写在海草纸云气隐约的质地上，洒脱风神。且看看那个“恨”字，就是甲骨文脱胎而出，是篆书溯古的摹拟，却有现代创新的意趣。

我倒是觉得区大为的章草气韵十分生动，是他书法成熟的代表。像他的《咏友》，圆融流畅，一气呵成，令人看来心旷神怡。最有趣的是，第二行末“吁”字瑟缩成一团，而下一行首“荡”字却有振衣千仞岗之势，一扫乾坤，尽吐局促挤压的浊气。他的《指上春风》更是佳制，从头到尾，潇洒脱落。孙过庭在《书谱》中说的一段话："若运用尽于精熟，规矩暗于胸襟，自然容与徘徊，意先笔后，潇洒流落，翰逸神飞。"拿来称赞此幅，可谓允当。我最欣赏"搔首何由"四个字的结体构局，真是萧散自由，任情恣性，却又中规中矩，自然天成。

再说画作。区大为这次展览以焦墨山水为主，只有一幅设色山水《山气化云云作烟》。说是设色，其实只是略敷薄彩而已，与其他的画作无大不同。要感觉画中的山气云岚，主要还是看墨色，看笔墨的流动点染。看的是线条，是笔墨的功夫，和观赏书法同一个脉络。

区大为的焦墨山水，常用秃笔破墨，毫无媚态，走的是髡残、黄宾虹一路。看画只看表面的人会觉得纷乱苍凉，甚至满目疮痍，既不秀美，更不华丽。其实，观画者只要静下心来，滤去自己心中的杂念，不要只想着股市楼市的升跌，不要去想上下班的塞车赶点，不要去想柴米油盐酱醋茶的家务琐事，把握站在画前这一刻清灵明澈的心境，就会发现，这一幅幅焦墨山水是多么秀媚多姿，以多么委婉曲折的笔墨向我们展示，画家的心灵正在追求大自然沉穆与和谐的欢欣与秀丽。

若是你总觉得焦墨山水的笔触是纷扰纠缠，是松散凌乱的，总觉得墨色破碎干枯，东一块，西一点，不成条理，且听听清初的笪重光在《画筌》中是怎么说的：

> 人知抢笔之松，不知松而非懈；人知破墨之涩，不知涩而非枯。墨之倾泼，势等崩云；墨之沉凝，色同碎锦。笔有中锋侧锋之异同，更有着意无意之相成。转折流行，鳞游波驶；点次错落，隼击花飞。

这就是告诉你，书画同源，看水墨山水就像看书法，看的是笔墨的气韵血脉，看的是艺术家灵动的意境，而不是表面的技法是否好看，是否可以媚俗。还请仔细看看《云影松风碧水间》的石儿及耸拔而起的山壁，更请看看氤氲流动的云气。云影山色，水光粼粼，画面的灵动流畅，是大自然的天机流畅，也是画家心灵的自然流畅。再请看看《青天削出金芙蓉》的悬瀑，衬着峥嵘的山势，画面上丛丛簇簇的笔墨点染，无一不是书法线条，无一不是自然美景的高度抽象提炼。再借笪重光的话来解释，就是：“拂为斜脉之分形，磔作偃坡之折笔，啄毫能合影疏，策颖每教势动。石圆似弩之内擫，沙直似勒之平施。故点画清真，画法原通于书法；风神超逸，绘心复合于文心。”

什么是文人画？这就是文人画。画境就是诗境，画家就是诗人。

最后谈谈刻印。刻印讲求的是空间的设计，在有限的方寸之间，刻出阴阳明晦的对照。吴昌硕曾经说过：“一方印章犹如一个人体，肢体躯干必须配置得当，全身血脉精气尤应贯通无阻，否则就易陷于畸形呆滞，甚至半身不遂。”也就是有机地看待印文的空间设计，讲究的是精、气、神，不是刻板模仿古文字的造型。特别要注意的是，中国文字固然有其千变万化的固定形制，但也同时是意义的载体，可以通过雕刻而赋予字义以艺术的造型。

区大为的篆刻有其特色，不单是他师法某家某派，其中更有他本人的喜爱与性情。他的闲章特别有趣，通过独特设计的篆字造型，以厚实朴拙的刀法，呈现了艺术家本人的生活态度，造就了笃实而不失潇洒的风格。且看“忙人之所闲”与“呵呵一笑钤红泥”这两方白文印章，质朴无华之中带有谐趣，毫无剑拔弩张故作张力的态势，却在稳健平衡之中流露了闲适的萧散之气。印文的空间安排与线面对应，与辞意展示的超脱心境可以相互辉映，观赏起来令人心惬。

再如“天马行空”“笑而不答”及“书禅”三印，借边与连边的安排有着别具匠心的随意性，在沉稳厚重之中加添了不稳定的因素，使得粗拙的线条流动起来，不仅仅像天马行空，简直就是波音 747 以超音速的姿态，飞翔在天穹。

黄宾虹在《画法要旨》中说过：“金石之家，上窥商周彝器，兼工籀篆，又能博览古今碑帖，得隶、草、真、行之趣，通书法于画法之中，深厚沉郁，神与古会，以拙胜巧，以老取妍，绝非描头画角之徒所能比拟。”区大为在艺术境界的探索，颇似黄宾虹对金石之家的赞誉，因此，容我录下这段话，作为这篇缀语的总结。

江启明的画境

江启明的水彩很特别，乍看之下，让人惊艳。那感觉像是在街市突然见到一位异国佳丽，明媚的眼眸散发着Flamenco式的热情，身材娇艳玲珑如意大利extra virgin橄榄油滴落的姿态，走到近前，再仔细一看，明明是天生丽质的中华美女，明目皓齿，纤秾合度，百分之百的祖国佳人，的确是倾国倾城之貌，同时又有一种娴雅的气质，再也错不了的。

江启明笔下的画面，从表面风格上来分析，不但不像中国的水墨画，也不像我们一般熟悉的水彩。他的画深受现代摄影影响，单向定点透视，远近分明，深浅有致，既无朦朦胧胧的笔触，也无疏疏淡淡的意境，更不从轻盈的飘逸之中，引领我们进入如诗如画的冥想。他的画面鲜明精确，像高清精密的摄影作品，像“照相写实”一派所创造的“瞒眼艺术”。但是，他用的技巧，不是现代高科技的摄影镜头，不是高科技喷枪的拟真手法，而是传统中国工笔画的笔墨。打一个不太准确的比方，就好像是北宋的张择端活在当代，熟悉现代摄影科技，又行万里路，周游了世界，掌握世界各地的绘画传统，然后拿起自己熟悉的毛笔，不再画自己生活其中的《清明上河图》，而是放眼世界，精心描绘全世界山河大地的美景。

近来看到他的一批水彩与素描，主题是世界文化遗产。画家的足迹不但遍布中国，也探访了亚、非、拉、欧、北美各地，而且执着地一笔一笔画出这些人类最该珍惜的名胜古迹。可以看出，他挚爱文化遗产的热情，如一团火在胸中燃烧，驱动了画家的手眼，让他像虔诚的信徒对待信仰一样，用自己的艺术奉献给全人类承继的文化精华。虔诚的信仰就能调动一切积极因素，调动一切艺术手段，竭尽自己的心力，全心扑在艺术创作上，画出心灵追求的最高境界。这就让我联想到徐霞客，他的游记写得那么好，不但巨细靡遗，而且笔下生辉，创造了不朽的文学经典，主要是因为他深深热爱这一片人类赖以存活的山河大地，对每一道山脊、每一条流水、每一间庙宇、每一处古迹、每一个相遇的人物、每一棵参天大树，甚至每一片树叶，都充满了好奇与热爱。在他的笔下，没有一处的山水没有自己独特的个性，没有一次游历不是充满了探险与发现的欢欣。从江启明的画作中，我也得到了类似的感受。我相信画家本人，在旅行作画的过程中，一定经历了更深刻、更触及心灵的感受，才能通过画笔，通过艺术升华的媒介，把他虔诚而热切的艺术崇敬，展现给观者。

作为文化史家、作为关心文化传承的知识人，我在此向江启明先生致敬，感谢他对文化遗产的挚爱与关切，特别是通过了艺术手段，用传统中国笔墨，以世界文化遗产为题材，画出了媲美现代高科技喷枪画法的工笔山水画。

司徒乃锺的画

看司徒乃锺的画，第一印象就是，岭南画派，中西结合。再仔细看看，觉得其中有强烈的油画层次感，比起传统岭南画派吸取西洋画风，更进了一层，并且有所创新。他的画作展现极度写实的层次感，依照透视学原理，通过光影的对照，掌握明暗对比。设色赋彩方面，讲究虚实浓淡不说，还注重肌理层次。因此，乍看像西洋画，既像十七世纪静物花卉，有瞒眼之效，栩栩如生，又像十九世纪末期西方植物学标本画的杰作，精准无瑕，巧夺天工。

司徒乃锺创作的艺术追求，能有这样的成就，一方面来自家学影响，受到他父亲司徒奇长期的耳提面命，并因家传的岭南宗风，就学于他父亲同辈的岭南大师如关山月、黎雄才、赵少昂、杨善深、林近等人，耳濡目染，又兼学艺不倦，自然承继了岭南画派优美的写实风格与融合中西的创作态度。另一方面，司徒乃锺在加拿大的艺术学院求学，接受西方绘画传统的正规训练，打下了素描、水彩及油画的扎实基础，开拓了眼界，配合本身家传的功底，就使他在融合中西技法时，得以超越前辈画家，循着岭南画派的创新宗旨，百尺竿头，更进一步。

然而，司徒乃锺并非只是泛泛探索中西画艺的结合，他最主要的艺术追求还是中国画的创新与发展，也就是运用传统中国画的质材，使用毛笔、水墨、色彩、宣纸等传统绘画载体，展现新时代的艺术体会，开创崭新而独特的艺术风格。不论他掌握了多少西画传统的技法，如何构筑中西结合的画面，他心目中的审美境界，仍与中国绘画美学传统有关，仍然是环绕着谢赫六法提出的基本概念：气韵生动、骨法用笔、应物象形、随类赋彩、经营位置、传移模写。也就是说，他心底存有中国绘画传统的基本思考脉络，万变不离其宗，才能把学自西方的绘画技巧，融会贯通，融入中国画之中，进一步发展岭南画派融合中西的宗旨。

我们从司徒乃锺一九九七年画的《父亲手植玫瑰》可以看到，画中两朵盛开的深紫色玫瑰，色彩鲜艳不说，还呈现了强烈的质感，令人感到触手可及，而且摸上去，像丝绒一般的细腻柔滑。这种强烈而细致的质感，呈现了层次分明、肌理厚实的油画特性，居然出现在中国传统花卉画作之中，令人叫绝。整幅画的构图安排，却完全循着传统花卉画的脉络，不论是枝丫、叶脉，还是含苞未放的蓓蕾，都可纳入恽南田没骨花卉技法的传统。这幅画明白显示了，司徒乃锺既是承袭了传统的"传移模写"，又加强了师法自然的写生技巧（也可说是"应物象形"），十分讲究随类赋彩、经营位置与骨法用笔，最后得以达到"气韵生动"的效果。

再来看看他的巨幅作品，如二〇〇二年的《岭南春风红艳图》，画老树盘虬，红棉盛放，气势磅礴，铺天盖地而来，令人震撼。震撼之余，仔细谛观，就会发现气势来自仔细经营的一笔一画，而细致笔墨得以呈现，就是对自然的深刻观察，以及过硬的素描根底。他二〇〇一年在粉岭云泉仙馆画了两个月的竹林横幅，对竹节与竹根的刻意勾画，以写实与写意相间的手法，描绘出林深悠远的意境，也是中国画传统中少见的杰作。

司徒乃锺以独有的写实手法拓展了岭南画风，却从未忽略写意笔墨。看他二〇〇二年的《秋木鸣禽》、二〇〇五年的《晏殊踏莎行》、二〇〇二年的《觅》，以及多幅大写意老虎图，可以感受到画家挥笔泼洒时的风流快意。由此我们也可以发现，他的画风不拘一格，特别擅长写实与写意相间的技法，虽然这是二十世纪以来中国画家惯用的布局方法，司徒却能青出于蓝，自写胸抒。

我去年得识司徒乃锺，一见如故，对中国画的发展前景，意见多有吻合。承他不弃，愿意在香港城市大学艺廊，以“苍城家学，岭南宗风”为题，展出司徒奇、司徒乃锺父子画展，并嘱序于我，遂草此文，略表一二，实未能尽我景仰之情，还请画家与读者恕之。

“陶瓷下西洋”展览序

中国陶瓷享誉世界，有其实用与艺术两方面的价值，堪与丝绸对世界文明的贡献媲美。自唐宋以来，陶瓷就是海上贸易的大宗货品，从中国沿海口岸出发，随着逐利的船舶，冒着风涛之险，传布到东南亚各地，再进入印度洋，一直远至波斯湾、红海以及非洲东海岸。陶瓷下西洋的路线，是一片错综复杂的网络，反映了古代贡使与商贾拓展海上交通的情况。近年来由于水下考古的沉船发现，东南亚各地出土的大量中国瓷器，以及陶瓷史家对外销瓷的研究，使我们对唐宋以来陶瓷外销的情况以及中西物质文化交流的网络，有了更清楚的了解。

许多研究海外贸易的学者，称这条陶瓷外销之路为“海上丝绸之路”，因为丝绸也是舶载远贩的重要商品。三上次男则

《陶瓷下西洋——十二至十五世纪中国外销瓷》
郑培凯主编
香港城市大学中国文化中心
2003 年版

径称之为“陶瓷之路”，更反映了海上贸易的特色，因为船舶载重量大，可以装载成千上万的瓷器，远渡重洋；这是号称沙漠之舟的骆驼，在陆上丝绸之路长途跋涉远远不能企及的。对于航舶所至的世界各地，陶瓷这种舶来品，以其动辄万计的数量，散布了中国文明，带来了日常生活的舒适与便利，也带来了赏心悦目的艺术享受，是古代文化交流的伟大成就。

本次展览，是我主持的“陶瓷下西洋”研究计划的初步成果，研究范围只涉及环南中国海的东南亚地区。展品来自三个方面：一是香港城市大学中国文化中心“陶瓷下西洋”研究小组在柬埔寨吴哥遗址采集的瓷片，二是东南亚及国内考古单位（特别是泉州海外交通史博物馆）提供的样本，三是香港古物古迹办事处庋存的香港本地出土瓷片。综合前人的研究及展品实物，我们可以比较具体地描绘中国陶瓷下西洋在东南亚地区的概况。

本展的时代跨度是十二至十五世纪，也就是从南宋到明初，因为这段时间是中国海上贸易最兴旺的时期，政府的贸易政策也比较开放。《宋会要辑稿》记绍兴七年（1137）南宋高宗上谕，“市舶之利最厚，若措置合宜，所得动以百万”。绍兴十六年（1146）上谕，“市舶之利颇助国用，宜循旧法，以招徕远人，阜通货贿”。这样开放经营，以博财货之利的态度，与明初禁海政策是截然不同的。冯先铭在

《宋代瓷器的外销》一文中，列举《诸蕃志》（成书于南宋理宗宝庆元年，公元1225年）记载海外十五个地区和国家与中国外销瓷器贸易有关，而经营者大率为“蕃商”。这也反映了中国贸易政策开放，吸引了大批蕃商进行中外物质文明之交流，其地域包括了今天的越南、柬埔寨、马来西亚、印尼、菲律宾、印度、坦桑尼亚等地。元代政策对商贾，特别是属于“色目”的蕃商，更为宽松方便，海上贸易之繁盛达到了高峰。

我们研究计划的初步，是福建外销瓷器与东南亚海上贸易的关系，因此，这次展览也反映了我们研究的取向，特别介绍了泉州一带窑口的产品，具体展示同安汀溪窑、南安窑、晋江磁灶窑、安溪窑、德化窑的遗址情况，佐以各窑口出土的瓷片。自南宋以来，泉州在海外贸易方面所扮演的角色日益重要，到了元代已经凌驾广州，而成为中国对外贸易的首要通商口岸。当时蕃商麇集，港口桅樯林立，从马可·波罗及伊本白图泰的记载都可看出。港口的繁荣与外销市场的兴盛，自然带动泉州附近窑业的发达，而其生产面向则以外销为主。苏基朗在《两宋闽南广东外贸瓷产业的空间模式》一文中，根据考古资料所提供的窑址分布情况分析，发现泉州与闽南瓷业的联系十分紧密，运输成本远低于以广州为外贸中心的广东瓷业，说明了为什么闽南外销瓷远布海外，成为“陶瓷下西洋”历史中的主角。

瓷器虽然易碎，难以妥善保存完整器物，但是破碎的瓷片却不会像丝绸那样容易腐朽。即使在地下埋藏了千年，出土时仍然可能焕然如新。这就给我们提供了最宝贵的实物证据，让我们理解中国外销瓷器是如何远渡重洋，在异邦日常生活中扮演了重要角色。近年来东南亚考古发现的资料累积，以及水下考古对沉船发掘出土的大量完整瓷器，使我们愈来愈清楚中国外销瓷流布东南亚的情况。我们在这次展览中，选择了柬埔寨、印尼、菲律宾与泰国出土的一些实物，可以说明，瓷器作为文化载体，历千数百年而常新，反映了中国古代物质文明的高度发展，通过外贸，不但利惠中国的瓷业，也造福了东南亚的人民。

假如我们研究的成绩有可供学界参考之处，主要是在研究方法上整合了海外贸易史、陶瓷美术史、水下考古，及材料物理的科学测试。我们要特别感谢香港城市大学研究事务委员会的鼓励，促成了本中心与物理及材料科学系的合作，结合人文研究与科学实验，对陶瓷下西洋这个课题，从不同角度审视，并提供了可以相互印证的材料与数据。

我们在探访柬埔寨吴哥城考古遗址时，得到当地文物局的大力支持，与法国远东学院考古队及日本考古队合作，得到了他们累年发掘的大量宋元瓷片，交给我们进行热释光及微量元素探测。抚摸着一片片温润如玉的残片，看到它们流落在吴哥废墟，弃置于丛林中的断壁残垣，埋藏在异国的瓦砾堆里，我不禁想到，周达观在元代奉使柬埔寨（当时称作真腊）写了《真腊风土记》，其中就特别指出，当地人“欲得唐货”，包括了金银、丝帛以及“真州之锡镴、温州之漆器、泉（泉州）处（今浙江丽水龙泉一带）之青瓷器”。这些流落在异域的碎片，摸起来仍然光滑温润，还散发悦目的光泽，若是瓷片有情，不知如何诉说七八百年前远渡重洋的经历。

本次展览汇集了中国本土窑口采集的瓷片，以及外销流落东南亚各地考古出土瓷片，辅以科学测试的数据，希望能为不同的陶瓷家族找到失散的亲属，并由此了解当年远航异域的情况，了解陶瓷下西洋的历史面貌。我们采集与搜罗的样品有限，挂一漏万，在所难免。

这是一次外销陶瓷家族的重逢与欢聚，我们作为策划组织的人，也因此感到衷心的愉悦。

《茶饮天地宽》导言

在人类文明发展的进程中，茶作为饮品出现，而有保健养生之用，可说是中国人先祖对世界的一大贡献。古人饮茶的历史可以上溯到先秦，由于文献无征，难以断言究竟起源于何时。过去总是引神农传说，曰若稽古，"茶之为饮，发乎神农氏"，唐代陆羽（733–804）在《茶经》中就是这么说的。然而，神农毕竟是传说时代的传说先贤，无助于精确的历史断代。因此，要问中国饮茶始自何时，也只好笼统答说，始自蒙昧的远古时期。

中国饮茶的时代虽早，但从上古至三国期间，饮茶的方式是"生煮羹饮"，也就是皮日休所谓的"必浑而烹之，与夫瀹蔬而啜者无异"。三国以后，才逐渐采叶制饼，外敷米膏，算是出现了成茶，可供研末煎饮。但是喝菜汤式的饮茶法是

《茶饮天地宽——茶文化与茶具的审美境界》
郑培凯主编
香港城市大学中国文化中心
2007年版

古代的主流，反映了早期饮茶的实用性，有解渴、保健与养生之功效，并不特别追求生活乐趣的艺术品位。配合这种茶饮方式的器具，自然也以实用为主，能烧水者即可作为汤壶，能盛菜汤者即可用作茶碗，不必发展出专为饮茶之用的茶具。因此，古代茶具如注子、茶碗，可能同时作为酒器或食器之用。一般而言，注子作为注水、注酒、注茶的通用性比较普遍，茶杯与酒杯可通用，而茶碗器身比饭碗要小而精致。

从茶具文物馆的展览中所见唐代陶瓷茶具，以注子为大宗，有的属上层社会所专用（如三彩凤首龙柄贴花注子），大多数则是一般通用器具。其中有的都是长沙窑大量烧制的日用器。展出的杯及碗各一件，器身纤巧，才堪手握，十分适合敬茶。

出现一套周详而有系统的茶饮规矩，讲究饮茶过程与器皿用具之间的审美感受，要一直等到唐代中期，陆羽撰作《茶经》，制定茶仪及所需的器具，才有了上升到精神境界的茶饮仪式，以及配合茶仪的器皿用具。

陆羽的《茶经》成书在公元七五八年前后，是饮茶史上第一部有系统的著作，全书七千多字，总结了古代有关茶事的知识，并对饮茶的方法提出了品评鉴别之道。《茶经》第四节“四之器”，详列了烹茶饮茶的器具，从风炉一直讲到都篮，表面上是一一列举烹煮的器具，实质上则是制定了饮茶的规矩及品货鉴别的审美标准。《封氏闻见记》特别指出陆羽“造茶具二十四事，以都笼统贮之”，说的就是饮茶规矩的建立。所谓“茶道大行，王公朝士无不饮者”，也就显示了陆羽创制的茶道仪式，在上层社会已经成为礼节，人人遵守了。因此，《茶经》花费如此篇幅，详列茶具及其使用之法，便不仅是单纯技术性的叙述器具用途，而是通过器具的规划，建构了饮茶的特殊氛围，规定使用器具的仪式，提供心灵超升的场域。也可以说，陆羽是创建茶道的祖师；一切后世茶道的根本精神，莫不源自陆羽所设立的茶饮礼仪。

且举陆羽对“碗”的说明来看：

> 碗，越州上，鼎州次，婺州次。岳州上，寿州、洪州次。或者以邢州处越州上，殊为不然。若邢瓷类银，越瓷类玉，邢不如越一也。若邢瓷类雪，则越瓷类冰，邢不如越二也。邢瓷白而茶色丹，越瓷青而茶色绿，邢不如越三也。……越州瓷、岳瓷皆青，青则益茶。茶作白红之色。邢州瓷白，茶色红。寿州瓷黄，茶色紫。洪州瓷褐，茶色黑。悉不宜茶。

这一段叙述茶碗的择用，分别不同瓷类的等第，不是以瓷器本身的质地为选择的标准，而是着眼于瓷器的质感与色调，如何配合茶汤所呈现的色度，让饮茶者得到色泽美感。严格来说，茶碗的色泽与茶叶的质量是不相干的。然而，饮茶作为美感体会的艺术，茶碗的形制与色调，配合盛出的茶汤色度，就使人在特定的空间氛围中得到相应的感受，从而产生心灵的回响。因此，陆羽以青瓷系统的越州瓷高于白瓷系统的邢州瓷，是以茶道整体艺术感受作为品评标准的。

以青瓷系统的越州窑碗为品赏茶道的上品，也与唐代茶叶珍品所出的茶汤相关。因为唐代所尚的烹茶方式是碾末烹煮，汤呈“白红”（即是淡红）之色，盛在色泽沉稳的青瓷茶碗中，相映而成高雅之趣。邢州瓷虽然洁白莹亮，但未免稍嫌轻浮了。历史文献中盛称的皇室专用“秘色瓷”，因一九八七年陕西扶风法门寺地宫出土了唐僖宗（874–888 年在位）的供奉茶具，让我们清楚看到，其中的五瓣葵口圈足秘色瓷碗，就是质朴大方、色泽沉稳的青瓷茶碗，也就是陆羽标为上品的茶具。

陆羽盛赞的越窑青釉，由唐入宋，一直在茶具中引领风气，历久不衰。展出的注子，即是越窑注子，壶嘴曲线的发展不但比唐制优雅，也更合乎注水弧线的流畅。这种瓶身修长的宋代注子，在外形上与唐代注子不同之处，与新发展的点茶斗饮方式有关，是由于宋人明确的功能意识，为了注汤的效果而改造的。宋徽宗赵佶（1100–1125 年在位）在《大观茶论》中探讨茶瓶型制，就说："注汤利害，独瓶之口嘴而已。嘴之口欲大而宛直，则注汤力紧而不散；嘴之末欲圆小而峻削，则用汤有节而不滴沥。盖汤力紧，则发速有节，不滴沥，则茶面不破。"此外，如定窑、耀州窑、钧窑、龙泉窑、建窑、吉州窑的瓷器，都显示了宋代陶瓷工艺大盛，在茶具制造上也各出心杼、精益求精的情况。值得特别注意的是建窑兔毫斑茶碗及吉州窑折枝梅花茶碗，因为它们显示了宋代"点茶"与"斗茶"的特殊品位与艺术追求。

建窑与吉州窑黑盏在宋代备受推崇，与宋人喜好福建茶与建茶之"点茶"方式有关。唐代皇室享用贡焙，独占茶中极品，经过五代十国，一直到宋朝延续不停。其中主要的变化，则是贡茶的产地，由太湖附近的顾渚，逐渐移到了武夷山区建安的北苑。宋人偏爱建茶，一是建茶的内在质地优良，其香甘醇厚超过顾渚茶。二是因为五代、北宋期间气候产生巨大变化，明显由暖转寒。宋代的常年气温，较唐代要低两三摄氏度。种植在较北太湖地区的茶树，因天寒而推迟萌发，不可能在清明以前如数上贡。宋子安（活跃于十一世纪）《东溪试茶录》的“采茶”一节就说：

> 建溪茶，比他郡最先，北苑、壑源者尤早。岁多暖，则先惊蛰十日即芽，岁多寒，则后惊蛰五日始发。……民间常以惊蛰为候。诸焙后北苑者半月，去远则益晚。

宋代上层社会饮茶的习惯，特别是在宫廷之中，基本沿袭唐代。品茶之讲究，茶饮过程之繁复，则远过唐代，有所谓“点茶”“斗茶”之名目。关于“点茶”之法，蔡襄（1012–1067）《茶录》有明确的解说：“茶少汤多，则云脚散；汤少茶多，则粥面聚。钞茶一钱匕，先注汤，调令极匀，又添注之，环回击拂，汤上盏，可四分则止。视其面色鲜白，着盏无水痕为绝佳。”讲的是茶叶与汤水要用得恰当，否则点泡出来的茶汤沫饽不匀。点泡之时，要先将茶末调匀，添加沸水，还回击拂，才会出现鲜白色的沫饽。泡沫浮起，贴近茶盏时，要没有水痕才是绝佳的点泡。蔡襄还说，“斗茶”就是点泡的技术：“建安斗试以水痕先者为负，耐久者为胜；故较胜负之说，曰相去一水、两水。”好像斗茶胜负的计算之法，跟下棋输一子、两子一样，可以清楚地比较。

由唐到宋，调制茶汤的最大变化是，唐代烹茶把碾细的茶叶投入沸汤之中，再浇水入汤，控制沫饽的浮起；宋代则以沸水点泡已经调好在茶盏里的茶膏，然后回旋击拂，打起沫饽，好像浮起一层白蜡一样。欧阳修（1007–1072）诗句“停匙侧盏试水路，拭目向空看乳花”，及梅尧臣（1002–1060）的“石瓶煎汤银梗打，粟粒铺面人惊嗟”，正是形容用银匙击拂茶汤，泛起如粟粒乳花一般的沫饽，是典型的宋代饮茶方式。

由于崇尚这种击拂起沫的饮茶方式，茶碗的选用也就与唐代崇尚青瓷不同，而转为标举建安的黑瓷。蔡襄《茶录》论“茶盏”就说：“茶色白，宜黑盏。建安所造者，绀黑，纹如兔毫。其坯微厚，熁之久热难冷，最为要用。出他处者，或薄，或色紫，皆不及也。其青白盏，斗试家自不用。”这是说明茶汤沫饽呈白色，需要黑盏来相映。点茶费时颇久，就需要茶碗厚实，可以保温。过去视为上品的青瓷、白瓷，在配合宋代点茶盛行的功能需求上，就不适用了。反过来说，建窑黑盏的艺术特色与其作为茶具的功能，是完全一致，相辅相成的。

由元至明，茶饮的方式有了重大的改变，陶瓷釉彩的风格也有了重大改变。两者并合，就发生了茶具形制及艺术品位的大变化。简而言之，在茶饮方面，唐、宋流行的“研末煎点”逐渐转为“叶茶冲泡”；在瓷器方面，宋代争奇斗妍的青白瓷、建窑黑釉，逐渐被新起的钴蓝青花、白瓷与紫砂所取代。

明太祖（1368–1398 年在位）废团饼茶，以芽茶入贡，明确反映了饮茶风尚的改变。虽然元代民间已经普遍使用散茶，而明太祖的诏令只是因势利导，却对芽茶制作工艺的精进，产生了很大的刺激与促进作用。同时，也因废止建宁一带的团饼贡茶，对福建茶业产生了很大影响，迫使福建茶业转型，由本来的皇家垄断包办，转而要考虑商品市场的营销。由于明代新兴蓬勃的茶饮风尚，讲究芽茶的清香空灵，福建武夷系茶叶却质地偏浓郁甘醇，一轻扬，一厚重，就使得福建茶叶必须发展出一条新的品茶途径。这也就是明、清时期福建发展出红茶和乌龙茶的历史背景，而紫砂壶的使用在闽、广特别盛行，也与这段历史变化有关。

明代茶叶制作工艺的主流发展，是在炒青与烘焙方面，依照各地茶产的特性，掌握炒青的火候，研制出各种有特色的名茶。万历年间的罗廪（活跃于十六世纪中期）著《茶解》，其中说到“唐宋间研膏蜡面，京挺龙团。或至把握纤微，直钱数十万，亦珍重哉。而碾造愈工，茶性愈失，矧杂以香物乎？曾不若今人止精于炒焙，不损本真”。即指唐、宋贡茶，到了后来细工雕琢，一小把茶叶就价值数十万钱。然而碾造工艺太过，茶之本性与真香反而受损，甚至还掺入香物，就不如明代制茶，精于炒焙，可以保持茶的本色真香。

明中叶以后，讲究本色真香的各地名茶，更成为士大夫竞夺的目标。特别是因为江南商品经济的迅速发展，使得长江中下游及沿着大运河一带的地区都跟着富庶起来，人们的生活也讲求精致的享受与品味。茶饮的品赏就在士大夫的生活艺术追求中占了重要的一席，与制茶工艺的新发展相辅相成，开创了晚明士大夫的高雅品茗艺术。

明代茶叶精品的出现，既与经济生活的富庶相关，也就出现了相对应的品赏情趣之提高。明中叶以后品茗艺术的发展，一方面是恢复了唐、宋品茗赏器的乐趣，对茶饮的程序与器物的洁雅再三致意，另一方面却更看重性灵境界的质朴天真，追求品茶过程心灵超升的修养，以期融入天然和谐的天人合一之境，不但得到个人心理的祥和平安，也在哲理与艺术的探索上得到智性的满足。相对而言，唐、宋品茶比较重视仪式，通过繁琐的程序，讲究的器具，得到一种心理的秩序与平衡，是通过礼仪感受茶道的精神。明代的茶道则比较重视天机，减少了繁琐的仪式与道具，顺应品茗者的心性与兴趣，在艺术创造的乐趣中，追求人生美好时光的体会。

明人发展出来的饮茶之“趣”，在当时的茶书及散文小品，甚至日记书札中，都时常提及。这里只举许次纾（约1549–1604）《茶疏》为例。其中说到茶的烹点：

> 未曾汲水，先备茶具，必洁必燥，开口以待。盖或仰放，或置瓷盂，勿竟覆之。案上漆气、食气，皆能败茶。先握茶手中，俟汤既入壶，随手投茶汤，以盖覆定。三呼吸时，次满倾盂内。重投壶内，用以动荡香韵，兼色不沉滞。更三呼吸，顷以定其浮薄，然后泻以供客。则乳嫩清滑，馥郁鼻端。病可令起，疲可令爽。吟坛发其逸思，谈席涤其玄襟。

这里讲求茶具的安排与置放，以及品茗的过程，考虑的不是仪式的重要，而是味觉与嗅觉的享受与快感，通过五官感觉的舒适，产生吟诗玄谈的精神提升。

相对应的饮茶场合，许次纾也作了细节的罗列，举出喝茶的适当时光：

> 心手闲适。披咏疲倦。意绪棼乱。听歌闻曲。歌罢曲终。杜门避事。鼓琴看画。夜深共语。明窗净几。洞房阿阁。宾主款狎。佳客小姬。访友初归。风日晴和。轻阴微雨。小桥画舫。茂林修竹。课花责鸟。荷亭避暑。小院焚香。酒阑人散。儿辈斋馆。清幽寺观。名泉怪石。

可以看出，明代文人雅士在茶饮过程中讲求的情趣，都与日常生活追求的闲情逸致有关，希望得到的是闲适的心情、明朗的感觉、亲切的氛围、清静的环境与澄澈的观照。这是一种清风朗月式的情趣，很像儒家传统形容人品的高洁，有着人世间活生生的脉动，而非宗教性的清寂。配合这种强调茶叶的本色真香，以追求茶饮的清灵之境，对茶具的选择自然也就倾向疏淡清雅，以皎洁的青花瓷、白瓷与纯朴本色的紫砂为尚。

与宋代崇尚厚重青黑的建窑相比，明、清茶具有明显不同的风格取向：一是茶碗的变化，由大变小，弃青黑而崇白瓷与白底青花。瓷胎则以薄为上，光滑润洁，清脆而透光。二是出现了宜兴紫砂茶具，以朴实紧密的紫砂黏土为质地，通过细腻柔和的线条与造型，呈现出贴合茶饮功能的独特雕塑艺术。在展览中的明代茶具中，不论是白釉瓷器，是青花，还是紫砂，我们都可以感受到制作者投入的心血，以及对待艺术创作一丝不苟的态度。在我们眼前，是一只茶杯，是一把茶壶，同时也是大匠所凝聚的艺术精神。以此饮茶，已经不纯然是喝一盅解渴的饮料，也是饮满天地间的灵气，可以陶冶性情，钟造化之神秀了。清代茶具基本上沿着明代的风尚发展，更加细致，同时也出现繁复雕琢的情况。如德化开光人物提梁壶，设计工巧，人物镂雕精致，但提梁与壶盖却给人太过张牙舞爪之感，只见绚丽之夸张，没有平淡的境界。类似的感觉，展览中也有，令人在赏玩之时，总觉得捧着一块镂金镶玉的珍宝，而非赏心悦目、自然天趣的茶具。

然而，明、清饮茶的风尚雅趣，虽然在近代没有得到提升，却在几个世纪的潜移默化之中，使得大多数中国老百姓，遵循了明清雅士的主张，跟随“茶有真香”的质朴本色饮茶讲究，喝茶以叶茶冲泡为主，既不加香，也不加果。即使所用的茶具并非珍品，只是普通民窑的青花，看到碧绿的茶叶在茶碗中浮沉，散发馥郁的芳香，也不啻晚明雅士眼中的阳春白雪了。

“巧夺天工：景德镇陶瓷学院陶瓷艺术作品展”序

中国明清时代有所谓四大镇：佛山镇、汉口镇、朱仙镇、景德镇，都是人口密集的重要都邑，却在行政等级上地位低微，连个县的资格都没有。政治地位低微却又声名显赫，当然有其突出之处，关键就在于这四大镇都是工商业中心。中国传统以农立国，以工商作为社会的末流，便有意压抑工商业为主的都会，贬低其政治影响力，以免颠覆了“农为本业”的权力结构。但是，工商业的发展直接影响了人民的日常生活，改善了人们的生活质量，因此，四大镇虽然在权力运作上发挥不了什么作用，在经济生活上却有着深远的影响。景德镇就是以陶瓷业著称，誉满全国的一大镇。

景德镇的名称来自宋真宗的“景德”年号，反映了此地在宋代瓷器制造业大盛，朝廷特别重视，设官监制御用瓷器的情况。史籍记载，“江南东路饶州浮梁县景德镇，景德元年（1004）置”（《宋会要辑稿·方域》），算起来，景德镇因制御瓷而得名，迄今也已一千年了。其间虽有战乱，制瓷业也受到破坏而衰落，但千年窑火延续未断，总能劫后重生，见证了中华陶瓷文明强韧的生命力。

香港城市大学这次举办的“巧夺天工：景德镇陶瓷学院陶瓷艺术作品展”，源于二〇〇四年梁国贞女士的建议。通过她的联系与协调，促成了香港城市大学、香港理工大学及香港大学的合作，邀请景德镇陶瓷学院来港展出陶瓷艺术作品。梁女士认为当代陶瓷工业的发展，应当强调艺术传统并结合现代设计意念，在扩大产业营销的同时，把陶瓷艺术带入现代人的日常生活，让千年不断的景德镇窑火在世界各地展现辉煌。

我在二〇〇四年十月赴景德镇参加中国古陶瓷学会景德镇十年陶瓷文化（国际研讨会），其间由梁女士安排，结识了景德镇陶瓷学院的秦锡麟院长，一同参观了学院的展览馆。深感当代景德镇的陶艺大师在创新之中展露出蕴藏深厚的传统精神，特别是融入了中国书法的笔墨，结合了传统文士的洒脱与现代工匠的精密，在严格要求的工艺程序中得以挥洒自如，有别于世界各地的陶瓷家，是值得介绍的。我们本来计划办一个陶瓷联展，在香港城市大学、香港理工大学、香港大学、香港中文大学巡回展出，后因实际安排有其困难，决定由香港城市大学主办展览，香港理工大学及香港大学协办陶瓷工作坊及陶瓷艺术讲座，以期推动及提升香港地区对陶瓷艺术的认识及欣赏。这次展览显示了当代景德镇陶瓷艺术的创新，脱胎自千年窑火的传统，有如凤凰浴火重生。

陶瓷文明源自中国，景德镇有着千年的辉煌。然而，无可讳言，晚清以来国势衰落、工业凋零，陶艺的发展反而在日本、欧美大为昌盛。如何在现代陶瓷工艺遍及全球，各国竞相争奇创新的局面下，重新赓继辉煌的传统，并借助深厚的传统文化资源，开创一片新天地，是我们衷心企盼的。

“戏以人传”昆曲系列总序

一

传统技艺的传承，靠的是师傅传徒弟，一代一代，手把手地口传心授。传统戏曲更是如此，从小练功，一招一式，都有说法，可能凝聚了师傅毕生的体会，也可能凝聚了好几代的心血。小徒弟学的一招水袖，轻盈中无限旖旎，说得夸张些，有可能是元杂剧搬演时哪个老师傅创造的雏形，经过了几百年的传承增益，到了乾隆年间才基本定型，又在近两百年经过了多少伶人师傅的实践打磨，终于传到了今天。对待这样的文化传统，我们必须心存敬意，珍惜这一代传一代艺术体会精华的集合体。

联合国教科文组织（UNESCO）在二○○一年五月十八

"戏以人传"昆曲系列丛书之一
《普天下有情谁似咱》
郑培凯主编
北京大学出版社 2013 年版

日，正式宣布十五项人类"口传非实物文化传承"（报章通称"口述非物质文化遗产"），第一项列的就是昆曲。许多中国人都感到与有荣焉，也开始对昆曲发生兴趣，一时之间昆曲成了国粹的代表，而且是全世界瞩目的表演艺术精粹，让不少年轻人趋之若鹜，成为时尚。更有趣的现象是，一向鄙视传统戏曲，更不知昆曲为何物的话剧导演，突然都成了昆曲的拥护者，摇起了弘扬昆曲的大旗，以昆曲的改革家自命，指手画脚，要使昆曲现代化，赶上全球化的时代潮流，以媲美纽约百老汇的歌舞剧。

面对这样的“众声喧哗”，我们不禁要提醒这些昆曲陆战队的新兵，昆曲是传承有自的艺术，背后起码凝聚了五百年的心血，是一代一代艺人的薪火相传，不是训练敢死队，奋不顾身，攻坚作战，非在一时三刻攻下表演节的桥头堡，拿下全国戏剧精品工程大奖不可。昆曲是表演艺术，是世世代代的艺人，用他们全部的生命浇灌出来的艺术奇葩。演出的赏心悦目，是因为演员“身上有”，承袭了世代相传的艺术积淀，不是因为“新锐导演”的心血来潮，“玩”出什么精品工程。就好像沈尹默写的字是书法瑰宝，他的纸笔墨砚，交给从没练过书法的顽童，后者虽然也兴致勃勃涂写一番，却绝不能登大雅之堂，挂出去给人欣赏。

戏曲本来是中国传统的文化娱乐形式，在过去，是大多数老百姓日常生活的乐趣，是上层精英欣赏并投入创作的艺术。在传统社会中，人人喜闻乐见，是世间纷扰悲戚的清凉解药，是欢乐喜庆的具体见证。笛声悠扬，琴弦袅袅，锣鼓喧天，唱腔婉转，舞台小世界，生净旦末丑，呈现生活的喜怒哀乐，演出世间的悲欢离合，与每个人的生命都息息相关，人人都从中得到心灵的净化与解脱，因此，戏曲的生存与发展，从来都不是问题。然而，时代变了，到了二十世纪，出现了新式话剧舞台表演，继之以电影、电视、时代曲、演唱会、卡拉 OK、影碟、电子游戏，进入二十一世纪，更有各种网络游戏、虚拟世界，还有许多日新月异的新花样，传统戏曲形式就面临了濒危的局面。

曾有记者来访问我，问我怎么看传统戏曲所面临的问题，戏曲会不会灭亡？即使不灭亡，是否已经丧失了民间的文化基础，不再是勃发鲜活生命力的表演艺术，而是只能在博物馆里保护起来，仅供后人瞻仰的文化遗产？还有，联合国教科文组织把昆曲、京剧都列为世界非物质文化遗产杰作，是否反映中国传统戏曲都已濒危，需要联合国出面来保护？我说，这里面牵涉的问题很多，主要与我们自己的文化态度有关，与我们怎么看待中国文化与艺术传承有关。

过去中国人讲文化传承，主要着眼在士大夫提倡的文献，以经史子集的传承作为历史文化的主体，忽略了民间传统，也排斥正统思想脉络之外的人物言行，以致造成近三百年来在认知上的自我封闭与狭隘心态，其实也违背了孔老夫子“勿臆、勿必、勿固、勿我”的教训。二十世纪以来，考古文物及书画图像的研究，逐渐由古董珍宝的鉴赏，转为文化生活与艺术思维的展现；民间的口传心授传统，特别是表演艺术与文娱生活的意义与价值，也因民主意识的增长，通过文化人类学、文化意识史及文化美学的发展，而受到重视，成为文化传承的重要环节。

联合国教科文组织在一九七二年正式提出《保护世界文化和自然遗产公约》及二〇〇三年公布《保护非物质文化遗产公约》，就提醒全世界，要注意过去“文献不足征”的两方面，要对自然与文化遗产的名胜古迹，以及口传心授的民间文化传承，多加重视，以确保人类文化的多元性。

简单说，从文化传承的载体而言，可分三大类：

1. 以文字为载体的文献；

2. 以文物古迹为载体的实物遗存；

3. 以口传心授为载体的非实物文化艺术传承。

基于这样的宽广定义，我们认定，文化艺术传承是发展文化的必要资源，只有以开阔的胸怀推展并提倡中国文化，才能开创文化的新机。中国文化是活的，而戏曲作为非物质文化传承的主要载体，需要我们的参与、阐释、发展，才能对中国文化的深层肌理有所认识与体会，才能汲取资源，让中国文化永葆青春，日新又新。

二

我一向反对使用“非物质文化遗产”一词，因为今天的中国人一讲到“文化遗产”，立刻就想到这是一笔财产，如何将之变为“资产”，用来发展文化旅游，用来作为“文化搭台，经济唱戏”的本钱。完全的急功近利，只有经济头脑，没有一点文化与艺术的关怀。我绝对不是要现代人抱残守缺，厚古薄今，把脑袋转回到过去，不看未来发展。我只是觉得，中国传统戏曲在历代传承之中，凝聚了许多优秀的表演艺术精华，应该在当前发展任何表演艺术时，不论是电影电视，或是舞台演出，作为借鉴的资源、参考及启发。特别是对中国的表演艺术家来说，这是他们可以超过西方表演艺术的优势，为什么完全看不见，为什么弃之如敝屣？

要认识戏曲所面临的问题，要了解为什么现代中国的精英阶层对传统戏曲是如此陌生与隔阂，就必须了解中国近代的文化变迁，是源自中国近代化过程中遭遇文化冲击的创伤，甚至可以说是一种灾难。戏曲在二十世纪遭遇的危机，反映了整个中国文化的危机，显示了中国人在西风东渐之时，抛弃自身文化传统，并且不分青红皂白，“义无反顾”，视戏曲为落后的文化糟粕。到了二十一世纪，当中国人逐渐走出自卑与屈辱的心理，才开始认识到，从晚清以来，为了富国强兵，为了现代化，为了学习西方先进的科技与政治制度，完全无暇思考自己的文化艺术传统，到底付出了多么大的代价。我们今天认识到戏曲衰微是个问题，或许跟教科文组织的提醒有关，但是主要还是认识到了，近代化过程中全面反传统，波及文娱与表演艺术，造成严重的文化认同的问题与心理失序的后果。这种认识的出现，本身就是很重要的文化变迁与发展，显示了二十世纪末到二十一世纪，我们开始有了比较清晰的文化自觉。

五四以来，整个新兴的知识阶层与领导精英，只想到发展新文化，移植西方先进文化，所以把代表旧文化的戏曲视为“旧戏”，视为阻碍先进文化的垃圾，从心底就想要把它打入十八层地狱。五四的新知识阶层抨击传统戏曲还不说，还要在教育上把它抹杀得一干二净。我们只要看看今天的文化教育体制，在规划教育体制及设置课程上，还是沿袭了五四以来的新式教育体制，基本上是不提传统戏曲，不提传统音乐的。在学校里介绍的音乐戏剧形式，都是西方的乐理与表演形式。教育是一个洗脑的过程，特别是对中小学里思想还未成形的青少年来说，正规教育的课程与内容往往就塑造了他们一生的思想感情倾向。五四以来的新式教育，对待中国传统戏曲的方式，就是把它从年轻一代的心底彻底磨灭。也不管传统戏曲是好是坏，也不管戏曲到底是否是现代化的绊脚石，是否要负起中国衰败责任，总之就是要铲除干净，把传统表演艺术全部取消，只教西方艺术传统。这是过去八十年的文化现象，也是中国近代文化变迁的重要指标，直接导致了戏曲的衰落，导致好几代年轻人完全漠视戏曲的没落。

朋友知道我致力于中国文化传承的教研工作，总不免要问，继承传统是否会跟文化创新相抵触呢？如何分辨文化传统中的精华与糟粕，如何辨明优秀的民族传统，如何让老旧（甚至是落伍）的传统文化因素融入现代的新文化？为什么要花这么大的气力来延续历史的残余与孑遗，而不是任其自然发展，循着优胜劣败的自然合理规则？为什么不是目光向前看，把精神放在学习西方先进文明上面，以求文化的创新呢？

对于这些疑问，我一般不会正面作答，而是反问，你为什么认为研究文化传承，就是盲目的抱残守缺，与文化创新相抵触呢？为什么理解、阐释与发展传统，就不能创新文化呢？难道钻研中国文化、捋清文化传承的脉络，不是为了文化与艺术开创新机的首要条件吗？难道我们可以在还没弄清自己的文化传统之前，就遽然断言何为精华，何为糟粕，就自以为是，东一榔子，西一榔头，先砸烂圣殿上雕刻精美的泥塑木雕，倡言什么“破除迷信”“颠覆传统”“破旧立新”“旧世界打个落花流水”，甚至以推土机的姿态出现，铲平小桥流水，铲平通幽曲径，铲平湖山石畔，铲平姹紫嫣红，在一片瓦砾堆中盖起毫无品位、毫不符合人性的摩天大厦？我不禁要反问，为什么中国的传统文化因素，特别是传统的艺术形式，如昆曲京戏，如琴瑟笙笛，如佛教造像，如寺观禅院，如水墨书画，就是老旧落伍，而西洋传统中的歌剧芭蕾、钢琴提琴、圣母耶稣造像、教堂修道院、油画水彩，就是创新先进？你想讲的，到底是文化的传承与创新，还是中西文化优劣？再者，你为什么认定了文化传统是固定而静止，是一成不变的民族性传承，和吉卜林说的一样，“东方是东方，西方是西方，东西永远不相傍”？

我有几个朋友是不喜欢戏曲的，认为戏曲这种传统表演形式很粗俗，难登大雅之堂，而且唱腔拖得老长，咬字方法也很古怪，怎么听也听不懂。问他们去戏院看过戏吗，答曰从来没去过；问他们在家里听戏曲唱片吗，答曰从来没听过。这才奇怪了，既没看过戏，也没听过戏，怎么知道戏曲表演形式粗俗，怎么知道唱法古怪难懂呢？回答说，大家都这么说的，反正是落伍的东西，不值得现代文化人去浪费时间。有位历史学家干脆就说，历史潮流是不可阻挡的，新生事物总要取代老旧的传统，才能开创文化的新机。中国戏曲是“表演艺术的化石”，是“死的艺术”，到了二十世纪，中国经历现代化的天翻地覆变化，就该死绝的。戏曲死光光，也不会妨碍中国的经济发展，不会影响中国的大国崛起。现在已经是二十一世纪了，戏曲这种传统余孽，当然是苟延残喘，是属于博物馆保存的“文化遗产”，能够保存一些，供学术研究及当前表演艺术的参考，就已经足够了。不必再多花精神，企图通过“活化”的折腾，让舞台艺术的僵尸复活，演出现代人没有兴趣的戏曲剧目。他还引用王国维的说法，强调“一代有一代之文学”，唐诗已死，宋词已死，元曲已死，明代传奇已死，中国传统戏曲也该死，现代舞台应该是现代西方传来的话剧当道。

我总是怀疑这个说法，总觉得其中有两层“现代性无知的傲慢”（pride of modernist ignorance）。第一层的无知傲慢，是现代中国知识人与文化人的通病，在列强欺凌，国势颓败之际，觉得西方近代的一切都优于中国，包括了文化艺术的发展与创新，因此要除旧布新，提倡西方先进文化，铲除中国文化艺术传统。第二层的无知傲慢，则是在近现代中国文化变迁中，从事文艺创作的人，不自觉地投机取巧，顺着西方强势文化的大流，把自己的聪明才智、追求艺术表现的愿望与呕心沥血的创作努力，投入西方文化艺术传统的繁衍与发展，而对自己的文化艺术传统不屑一顾。

若是我们过度相信并强调“艺术无国界”，从表面上看来，或说从创作者自身看来，会认为艺术家可以自由选择，投身于西方艺术传统的延续，或是中国艺术传统的发展，都一样是为人类文明作出贡献。然而，从人类文明的历史进程来看，从文化艺术传统的多元发展来看，从当今西方强势文化压倒一切的排他现象来看，情况就不一样了。我的历史学家朋友也不知道是不是误解了马列科学历史观，犯了严重的文化价值谬误，只相信历史进步是直线发展，只相信历史一元发展的客观价值，后果是认定西方现代文明产生的强势文化，必然成为全球化的基础，全世界的文化艺术表现方式也必定循着一元化的道路创新，出现全球一体的进步文明与高级艺术。

上述贬斥戏曲的观点，显示了戏曲存亡问题，不是一个单纯的戏曲领域的艺术形式兴衰的问题，而是近代中国面临现代化过程，一味向西方学习，从“师夷之长技以制夷”到“全盘西化”，忽视了西方强势文化无孔不入的威力，长期以来累积出来的大问题。安东尼奥·葛兰西（Antonio Gramsci）与米歇尔·福柯对文化霸权、对文化与权力结构密切相关的探讨，值得我们注意。中国近代文化艺术的发展变化，凸显了历史之无情，显示出西化的知识分子一旦成为社会精英，主导文化教育的规划，就只有扫除封建遗毒的“先知先觉”，而对西方强势文化可能遏制中国文化与艺术的创新，成了完全的“后知后觉”。

戏曲的存亡，全看我们如何对待戏曲，如何看待文化传统的价值。假如我们毫不爱惜自己的文化传统，不肯投身传承与创新，任其消亡，那么，戏曲大概很难活到二十二世纪。

我们对待文化传承，对待文学与艺术的创新，脑筋要复杂一点，至少要能明辨，任何文化传统，不管是东方还是西方，是非洲还是印度，都是人类先辈努力创造的成果，有光辉灿烂的成功，也有令人沮丧的失败，甚至还有荒谬绝伦的错误。我们的祖先和我们一样，都是“人”，而且中外一律，都在世界现实的挫折中不断挣扎，企图追求美好的生活，追寻自己的梦想，其中也不乏疑惧、恐慌、嫉恨、诅咒，乃至于沉沦到疯狂残害与杀戮。其实，我们应该反过来想想，我们到底与前人又有什么不同的高明之处，除了物质文明不断演进，有什么可以自傲，凭什么可以厚诬古人，蔑视传统？因此，我们首先必须认识文化传统，对传统存有基本敬意，要看清、理解、宽容，才能进一步超越前人，为文化创新作出贡献。想要改变与发展文化传统，却不思自我振作，只是随波逐流，莫名其妙干起革命，推翻传统，打倒传统，是推卸责任。把文化创新所遭遇的困难推到祖宗身上，是懦夫行为。

要讲文化创新，最重要的是人文思维空间的拓展，是海阔天空思维的能力。阳明学派所谓“鸢飞鱼跃”“活泼泼地”“解缆放帆”，是很好的形容词语。开放了心灵空间，才能超越工业文明“工具理性”的桎梏（马克思·韦伯对文明发展前景的忧虑），才能开创中国文化的新机。中国传统戏曲的写意性，以虚拟的时空及歌舞身段展示人生百态，与写实的话剧有相当的差别，能够挥洒更大的创意空间，使观众参与反思的客观环境更灵动，也更有机会触动灵思，开放创意想象。然而，要体会这种创意灵思，必须先理解与掌握戏曲的基本常识。戏曲表演的程序化身段，是历史长期累积的表演共识，一招一式都有传承。四功五法，固然是戏曲传承，是民族文化艺术的特殊呈现方式，也是传递思想感情与意义的文化密码，是台上与台下交流的语境，需要观众参与，开动艺术思维的追求，才能体会表演艺术的感染，开创文化创意的空间。

三

自从联合国教科文组织在二〇〇一年五月十八日把昆曲列为“世界非实物文化传承”（不该称作“非物质文化遗产”）之后，中国人都感到与有荣焉，也就使得一九九〇年代以来在台湾与香港逐步升温的“昆曲热”，燃烧到了全中国，并使人们开始注意昆曲演出与传承的文化意义。青春版《牡丹亭》演出的成功，在大学校园引起的轰动，以及随后的昆曲成为时尚，显示中国人（特别是年轻一代的精英）终于在传统表演艺术形式之中，找到了自己联系文化传统的纽带。

在近代化过程中，西方强势文化与艺术形式笼罩了好几代人的思维与想象，致使中国的知识阶层对戏曲不屑一顾。然而，文化传统虽然遭到主流知识结构的鄙弃，却因其源远流长，深入民间，幸而得以不绝如缕，总在人们心底萦回，总使人们在自我鄙夷的过程中，隐约感到不安，也模模糊糊向往着未来，总有一天，能寻回自己文化中袅袅不绝的绕梁余音，找到可以抚慰心灵深处的高山流水。昆曲经过了清末的衰微与二十世纪的各种困顿与灾厄，还能承传不断，还能幸存而有所复兴，是中华文化传承的异数，值得全世界欣慰，同时也是我们理解文化传承、理解表演艺术作为"非实物文化传承"的重要学术环节。

我写过许多文章，还在二〇〇六年出版过一本《口传心授与文化传承》，呼吁大家不要继续使用"非物质文化遗产"一词，而应该转用"非实物文化传承"，以符联合国使用的英文"intangible cultural heritage"或法文"la patrimoine culturel immatériel"的本意。"遗产"一词容易误导国人，特别是主管文化艺术的政府官员，以之转为“资产”，甚至利用文化传承发展“文化产业”，利用文化当幌子，进行某些国内官员提倡的“文化搭台，经济唱戏”政策。长此以往，文化非但得不到传承，还会变成金钱的奴隶，在人性贪婪的鞭策下，驱动经济利益，使文化扭曲变形，斫丧文化传承的内在精神。变成资产的“文化遗产”，虽然打着“传承”的旗帜，充其量只是如何捞钱，如何发展经济而已。“非物质文化遗产”一词，虽然只是一个词语，但是，因为它是个翻译而创造的新词，在中文语境中没有约定俗成的认识规范，其语义的模糊性容易造成思维的紊乱。在官方文件与大众媒体广泛使用之际，让许多唯利是图的人钻了空子，强调“文化遗产”可以牟利，可以化遗产为资产。近几年来，许多地方政府与民众都努力申报“文化遗产”，发展文化旅游，发展文化企业，配合牟利赚钱来提倡“非遗”，完全不顾及文化传统的死活。我一直呼吁，不要使用“非物质文化遗产”一词，而易之以“非实物文化传承”，至少可以提高人们的认识，减少“文化传承产业化”的倾向与趋势。

昆曲作为举世称颂的“非物质文化遗产”，也就在认识混乱的过程中，以众声喧哗的姿态，经由各地文化机关的提倡，活跃于当前的戏曲舞台，同时也充当文化旅游的娱乐节目。改编与新编的昆曲大戏，以“文化遗产”的发展创新为名，连台出场，经常违背了昆曲传统的基本原则，却能在全国评比汇报的重要演出场合，在官方组织的全国昆曲节或戏剧节，甚至在全国戏剧评定的最高艺术成就奖项之中，接二连三获得最高的表演殊荣，得到政府与官方钦点专家团的肯定。在昆曲圈内，包括昆剧演出的“内行”演员与相关从业人员，以及爱好昆剧与从事研究的“外行”，都基本赞同昆曲政策八字真言“抢救、保护、创新、发展”的原则与立意。但对其实际的媚俗化运作，以及具体产生的产业化与庸俗化现象，许多人忧心忡忡，深不以为然。政府资助的新编昆曲大戏，在表演程序上经常都违背昆曲传统，在音乐配置上也是“华洋杂处”，以中国乐器模仿西洋管弦乐团的音乐模式，令人感到昆剧不是昆剧，话剧不是话剧，歌剧不是歌剧，音乐剧又不是音乐剧。四不像的结果，并未造就艺术实验的新锐刺激，没有令人感动的艺术张力，只看到零碎的昆曲符号，搭在摇摇欲坠的西洋戏剧格式的框架上，令人感到心惊胆跳。或许这是黎明前的黑暗，是昆曲复兴必须走过的迂回道路，在改革开放的潮流中，连昆曲都必须“摸着石头过河”，在错误的实验中逐渐取得经验。然而，这种不做基本调查研究就敢放手大干的“艺术大跃进”，不但戕害了昆曲传统的抢救与保护，也不能有所发展与创新。

昆曲的演出实践，固然是昆曲团与昆曲艺人的本业，“外行”不可能也没有能力直接参与。但是，在厘清思维的紊乱，辨明什么是昆曲传统，是否典型犹在，可资遵循，则是昆曲学者责无旁贷的任务。关于昆曲作为“非实物文化传承”，到底传统是什么，昆曲的“四功五法”意义何在，在历史发展过程中如何承继，如何传延，如何演变，目前传承的情况如何，当今演出的不同版本何者符合历史传承的规律，何者违背昆曲传统的基本精神，什么是“移步不换形”，什么是“传神不传形”，都是昆曲学者应当回答与探讨的问题。其实，昆曲研究可以涉及的学术领域很多，从文字学、声韵学、古典文学，到研究音乐、舞蹈、戏剧表演、社会生活、思想意识，都能从中得到一些对中国文化传统的深刻认识。比如，昆曲传承显示它是雅俗共赏的，有文人雅士的阳春白雪，也有一般民众的下里巴人，有追索幽微婉转心境的情怀，也有看透世态炎凉的针砭，以及反映市井生活的深刻观察。从研究传统社会心理意识的角度来看，昆曲研究也就涉及中国文化雅俗的两个层面，以及雅俗互动的关系，可以揭示传统社会错综复杂的生活肌理。

由于过去的戏曲研究，在现代学术架构中属于中国语文文学学科，限于学科发展的要求与规律，多在目录学、版本学、文献学与戏曲文学方面下功夫，思考的脉络以文字范式为主，研究的是“案头之书”，而非专注舞台的表演呈现，不太研究“筵上之曲”。长期以来，把戏曲研究放在中国语文学的学术框架中去探索，忽略了戏曲最基本的内容是舞台表演，应该是自成领域的表演艺术，涉及音乐舞蹈，是戏曲学研究。以文字作为文化传承的唯一载体，固步自封，最后造成戏曲学术研究的“削足适履”倾向，也与戏曲传承的实践情况划清了界限，各人自扫门前雪。昆曲作为非实物文化传承的研究，是极其重要的学术新领域，是理解中国文化审美结构的一把钥匙。若能长足发展，就可以使后人在回顾中国文化传统之时，不再只是胸臆之中充满了遗憾的乡愁，而能感到有所依托，找到得以安身立命的艺术传统，重新出发，进行崭新的探索。我们希望中国高等教育的学术架构，特别是人文艺术学科，不要抱残守缺，也不要盲目崇洋，不要以西方现代的学科架构马首是瞻，亦步亦趋，应该思考中国文化的精神内涵，重新构筑学术体系与学科架构。至少不应该出现昆曲研究以文献研究为主体的情况。

在戏曲研究领域中，以文献为基础，研究昆曲舞台表演艺术，当作系统的学术探索领域，或许始自陆萼庭的《昆剧演出史稿》。其后如胡忌、洛地、王安祈等人，都着意开拓这个重要的领域。近年来更多学者开始专注昆曲的舞台表演以及“四功五法”的研究，探讨昆曲的实际表演情况与传承的具体操作。如古兆申、陈芳、张育华的戏曲研究专著，都能从昆曲表演的实质出发，探讨表演身段的呈现，分析唱腔如何依字行腔，通过今古对比，看出昆曲传承脉络的关键，在于舞台表演艺术如何一代一代有所继承，也因为“戏以人传”而有所发展，有助于我们理解昆曲作为“非实物文化传承”的实际情况与意义，在学术上是有重大贡献的。

过去也有一些老派的内行学者，对舞台呈演的具体编排表示过清楚的意见与批评，对新编或改编大戏的不妥之处，做过相当强烈的批评。如朱家溍在《对昆曲抢救保存的一些意见》一文（见《艺坛》第六卷，蒋锡武主编，上海世纪出版社 2009），就说到乾隆年间《牡丹亭·惊梦》有所改动，有些是好的，是符合艺术呈演规律的，因为那是内行人总结演出经验之后，精益求精，循着艺术规律而改动的。他说：“一个戏的修改发展是很正常的，但要具备改戏资格的人才能去改，刚学会的人是没有资格的，还没消化好，就凭主观去改，是改不好的，也不会有好的发展。”他同时还指出，许多昆曲的舞台演出本早已是千锤百炼的，改起来就要特别慎重，“但很多戏的修改已到了饱和点了，当然饱和点也并不是绝对不能改，那要极其慎重，刚一学会马上就改是很危险的”。

朱家溍还对当前昆剧演出的乐队配置，很有意见：“伴奏的庞大乐队，干扰了演员演唱，在念白中本应静场念的，取其静，才有意境，不能带有音乐。现在很多种场合加入配器音乐的情况，非但不好，而且很坏。”对舞台美术制作，也颇有微词，认为昆剧团的审美品位与情趣，似乎与昆曲的高雅境界有点距离：“过多的雕饰并不美，应注意色调中花和素的协调，明和暗的对比。淡和雅不是绝对的，《狮吼记》满台人服装全淡，如同穿孝，反倒不雅。要有浓有淡，浓淡调协，才出现美。舞台美工方面，传统戏汇报演出固然没采用布景，这是好的；但近年来，各个剧种都在天幕上挂一个大图案，它比台上人物更突出，不是什么好办法，各昆团都未能免俗地采用，值得深思。”

像朱家溍这样内外兼修的昆曲大佬，已成绝响，而将来也很难说是否后继有人。我们将来很难再找到朱老先生这一代人，既有文化修养，精通诗词歌赋，浸润于琴棋书画，把文化传统内化于一身，又能登台献艺，领会艺术表演的高雅风范。于今之计，对昆曲传承的深刻认识，以及建立昆曲表演艺术的学术领域，对昆曲舞台实践深入研究，提供具体客观的材料与论证，已是刻不容缓。

要发展昆曲传统，延续“非实物文化传承”，我们需要更多研究表演传承的学术著作，让具体的证据与明晰的艺术论述，来帮助昆曲传承的源流脉络，让文化官员在操作“精品工程”的时候有所思考，让改编昆曲的话剧导演有所敬畏与顾忌，而不至于捏造出“和尚打伞”式的昆曲或类昆曲。更重要的是，我们必须打破以过去文献为主的学术研究迷思，累积昆曲艺术传承的资料，通过调查访谈的文字记录、摄影录像的音像记录，以及演员自身对于学戏、演戏、教戏的体会与反省，对“四功五法”在每一出戏的具体展现有所阐释。因为“戏以人传”，真正优秀的演员也就在展现传承之中，加入了个人的表演艺术体会，而对戏曲艺术的整体发展与提升，作出增益性的贡献。

四

“传承”是目前昆曲界乃至整个文化界、艺术界的焦点话题，政府文化部门在讲、各戏曲院团在做；老一辈演员强调、年轻演员注重；戏曲界行内行外，学术部门、业余爱好者都有许多探讨。在此我还是要重复前面提出的问题：为什么要传承？表面上似乎是一个历史文化问题，而实际上却是思考文化传统有没有价值、有没有意义的问题。没有人会说文化传统没意义，政治家更会说中国文化博大精深，是凝聚我们民族的精神力量，是中华民族的源头活水。但是，就如上述讨论所显示，自五四以来，近百年中国的精英阶层，一心要铲除“封建遗毒”，把传统文化中精致美妙的艺术传统，如昆曲这种“旧戏”，当成阻碍文化发展与更新的绊脚石。在大力发展科技与经济的过程中，对传统艺术充满了无知的傲慢，乃至忽视昆曲传承，只会叫嚣“推陈出新”。这里有一个对中国文化传统（特别是艺术传统）的认识误区，有一个拒绝反思的思维盲点。

我们认为艺术就是创新，但是创新必须有创新的基础，必须有可以创新的物质条件与环境，必须有可资凸显或飞跃的平台。从文化发展的长远角度来看，任何艺术创新都建筑在已有的艺术传统上，是在传承的延续上找到了突破点，发展出独特的艺术飞跃。艺术不是政治，不是打仗，不能随便推翻、打倒乃至于歼灭。

谈到昆曲的传承，口传心授的“戏以人传”现象是历史现实，也是目前所知的唯一有效传承方式，因此，传承首先落实到演员的身上。一代一代的演员，是承接艺术传统的直接载体。当今年轻一辈昆曲演员，因为受到时代风气的影响，身处经济改革的花花世界，经不住娱乐传媒的影响，表演艺术的根底不足：一是基本功不够扎实。这一辈的演员普遍没有以前的演员能吃苦，开始学戏的时间也比较晚，少了几年黄金奠基岁月，基本功没前辈好是不争的事实。二是缺乏舞台实践机会。前辈演员限于生计或市场需求之故，演出非常频繁，舞台上的翻滚让他们很快成长起来。如今的青年演员演出不多，机会也总先让给已然成熟的老一辈演员，缺少舞台的锻炼。有些跟旅游点配合的演出，如周庄的昆曲演出，也大多安排得不好。观众走马看花，只有猎奇心态，没看戏的心情，演员也就当作应卯的任务，没演戏的热情。剧目只是重复走过场，演多了不但没进步，反而会变得油滑，丧失了艺术追求的动力。这些都使得年轻演员艺术水平较难提升。

但新一辈也有优势。整体而言，他们的文化水平要较以往艺人高。以前的艺人可能连字都不会写，对昆曲深涩的文词也时有误解之虞，如今对年轻演员的教育要相对好些。同时，他们对昆曲以外的戏剧形式较为熟悉，随着信息的发达，对其他戏曲种类甚至西方的戏剧都有更多的接触与理解，对一些新的舞台表演形式如声光电的配合运用也有所涉猎。若是自身有了昆曲的根基，掌握了昆曲传统的艺术精神，则可以把各种表演新知“为我所用”，有所创新。

在传承与创新的过程中，有一些从事昆曲工作的人，不珍惜传统，对昆曲艺术失去敬畏之心，甚至盲目自大，学了一些粗浅的西方戏剧概念、理论，略知皮毛，便来改造昆曲，成了当前昆曲界的主流运作方式。无论是为了适应全本戏需要而改动折子戏传统，还是为了演出方便而修订身段、唱腔，目前改戏的情况往往不从艺术呈现的角度出发，而是由“玩一把”的话剧导演，甚或是没有戏曲常识的文化官员，拍板定音。这便造成许多优秀的传统剧目，许多独一无二的艺术表演，因无人继承，从此烟消云散。从传字辈到继字辈、昆大班一辈再到如今的青年演员一辈，每一个阶段，都有一半以上的剧目没有流传下来，由传字辈的四五百出戏到如今的几十出戏，戏曲艺术的流失非常严重。

关于戏曲呈现“原汁原味”的问题，虽然议论很多，但是真正进行细致探索的学术研究却不够。原因也很简单，因为资料不够，文献不足，学者无法深入探究，只能任其众说纷纭，人云亦云，甚至以讹传讹。面对那么多的表演版本，同一戏有如此处理的，有那般安排的，都说是老师传下来的“原汁原味”。到底哪一个才是“原汁原味”的昆曲传统？所以，不但要回到学者熟悉的“传承”理论研究，还要首先问“传承”的具体内涵是什么？这就需要累积具体的传承资料，对“戏以人传”的传承人进行个案研究，藉助口述历史提供的方法，把重点放在“四功五法”的传承，以及对每一出戏的身段唱腔的承袭与增益变化，深入调查“原汁原味”在传承过程中的多元一体现象。

同一剧目的传承，北昆与南昆的呈现可能相差甚大，如北昆使用京白，南昆使用苏白；上昆和江苏省昆的不同演员也有不同风格，如张继青、姚继琨演的《烂柯山》，与梁谷音、计镇华演的《烂柯山》，同是传字辈老师教的，演出的风格就有不同；即便是同一演员，前期与后期的表演也可能有变化，如蔡正仁演《长生殿》的唐明皇，就因年岁增长而展现不同的体会。那么究竟什么是“原汁原味”，是否还有“原汁原味”的昆曲？我们认为，传承的真正意义在于“原汁原味”的精神，而不拘泥于一招一式。根据演员天赋不同，对舞台艺术的体会不同，对剧情人间处境的深化理解，把自身的艺术体会展现到极致，自然就有各自不同的风格与面貌。但是，优秀的演员知道，万变不离其宗，坚持传统戏曲表演规范，以之展现昆曲艺术的个人创新，还是在发挥“原汁原味”精神。

从演员表演角度探讨戏曲艺术，对“四功五法”在舞台上的展现作出具体分析，以示肢体舞蹈及声腔唱念的训练，如何提升为艺术，如何配合剧情与人物性格的发展，让一出耳熟能详的老戏焕发青春的璀璨，本来应该是戏曲表演艺术研究的理论核心。从这个角度研究昆曲表演，一方面深入探讨“唱念做打”的功夫，阐述表演技巧的基本功如何内化，如何提升，使演员的表演成为艺术展现，举手投足在合规中矩之间，透露角色人物的塑造。另一方面则可以深刻思考，为什么程序化的动作在适当的情景，作了适度的调整，发出如此撼人心弦的艺术魅力。从表面上看，程序动作的基本功训练，过程看起来是十分机械的，是对肢体能动性的不断重复，是对行腔咬字的严格要求，似乎不涉及艺术的抒发。但是，通过优秀演员对人物的阐释，“手眼身法步”的理解就有了艺术的境界，由内化而外铄，化死动作为活表演，使“唱念做打”变化出生动活泼的舞台人生，让人为之颦、为之笑、为之忧、为之喜，成为感动人心的表演。这种由内化而外铄的过程，把机械程序变作表演艺术的转化，让一出出优秀的传统剧目青春不老，长期活跃在舞台上，才应该是戏曲研究必须要阐释的文化现象。

五

为了对“戏以人传”的内涵，作深入的探讨，我们必须做许多的具体工作，累积更多具体材料，展示“四功五法”如何转化成表演艺术。其中，把优秀演员代表剧目的传承脉络捋清楚，详细记录每一位昆曲表演艺术家的成长历程，是重中之重。我们进行了多年的“昆曲传承计划”，便是希望通过对“传承脉络”的整理，记录昆曲表演艺术是如何“戏以人传”，展示了非物质文化传承在艺术领域的复杂情况。

香港城市大学中国文化中心在过去十多年，每年平均举办六十场艺术示范讲座，而以昆曲艺术的推介居多，还曾举办过多场昆曲演出、学术研讨会等。在二〇〇七年，邀得汪世瑜任驻校艺术家，就青春版《牡丹亭》进行十五场专题演讲。要求他仔细说明，他五十年前如何从传字辈老师那里学《牡丹亭》，五十年来如何演《牡丹亭》，一招一式有什么变化，有什么艺术体会的变化？有什么是一直承袭五十年前老师教导的身段与唱腔，有什么是后来改动的？是逐渐因不同体会发生的变化，是舞台临场随机的变动，还是因特殊外缘环境变化而改动的？有什么是改动之后又改回来的，有什么是改动之后就此固定下来的？为什么觉得改动之后更能加强艺术感染力？编导青春版《牡丹亭》，有许多新编的身段与唱腔，然而，他认为全剧还是符合昆曲的“原汁原味”精神的，为什么、凭什么？

我们把汪世瑜的讲座，配合交互式的讨论与交流，整理成书，筹划出版。有感于应该保留更多的昆曲艺术的传承资料，我们邀得笃爱中国文化的余志明先生的赞助，也得到香港政府研究项目资助，于二〇〇八年设立了“昆曲传承计划”。我们进行“昆曲传承计划”的细节，事前由我作了一些规划，拟定访问与探讨的议题，然后，邀约一批昆曲艺术家赴香港城大进行示范讲座，并进行文字与影像双轨记录。重点是以受访的艺术家为轴心，上溯师承，具体讨论自小学戏的经历，旁及同科的同学，演出艺术成长的过程，以及后来教戏的体会。我们尽可能纪录下一切跟昆曲传承有关的材料，特别是传承过程中的增益变化及其变动的根由。不仅是纪录艺术家当下的表演体会与演出程序，还上溯到他们的师辈传递的艺术信息，希望能够捋清二十世纪昆曲传承的面貌。当然，受访人自己学戏的过程，如何体会，怎样融会贯通，第一次登台的经验等等，都要从表演传承的角度说清楚。在艺术生涯不断成熟的过程中，后来又有怎样的变化；传到学生身上，又会如何因应学生天赋调整，并传下最适合每一个演员资质的舞台处理。

在拟定访谈议题时，我们设计了一些访谈的取向，希望借此深入挖掘演员在不同阶段的艺术体会。五六十年来，这些资深演员经历了巨大的历史变化，身处不同的社会环境，是如何保持他们的舞台艺术追求，或是因时有所应变？我们大体上列出七条访谈取向：一、受访者的师辈于不同年代的舞台呈现，是否有所演变？二、学戏期间的舞台呈现，是否跟师辈的传授有不同，变化的原因是什么？三、具备舞台实践与理解后，台上的表演有没有新的变化？四、“文革”期间受到什么冲击？是否演出样板戏？对表演的呈现方式有什么影响？演员会否受到意识形态冲击，而改变表演的观念？经历“文革”，多年不演传统剧目，是否影响自己在舞台的呈现？五、开放改革后的社会变化与经济转型，是否影响表演的呈现方式？又会否受外来影剧理念的影响？六、昆曲获世界文化遗产名衔后，传统艺术受到世人肯定，对昆曲的传承是否有什么影响？七、传授昆曲给学生，是否有何变通，跟当年自己学习的经验是否有不同？这些议题取向，环绕每一出戏的具体内容，如剧本、唱腔、表演身段、配乐、舞台美术（妆扮、道具等），需要进行细致探讨分析的。

“昆曲传承计划”经过五六年的运作，陆续邀请昆曲表演艺术家来港示范讲座，并参照许姬传写《梅兰芳舞台生活四十年》及洛地为周传瑛撰写的《昆剧生涯六十年》的范式，以演剧艺术为焦点，进行口述历史系列访谈。现已完成口述艺术表演记录的艺术家有汪世瑜、侯少奎、张继青、岳美缇、梁谷音、计镇华、王芝泉、刘异龙、张铭荣、黄小午、王维艰，已得近百出传统折子戏传承记录，将陆续整理出版。

以下举侯少奎与张继青访谈的例子，以示“戏以人传”这套丛书具体内容的侧重，是与市面上一般的艺人口述历史，有所不同。

侯少奎谈《义侠记·打虎》中武松的妆扮：

> 父亲跟王益友老师的武松妆扮便有所不同。从戴硬罗帽改成软罗帽，硬罗帽就是硬壳的，比较挺拔，不会塌下来；戴上硬罗帽也显得高，可以弥补演员个头不高

的缺憾。但像我父亲本身就高，戴一大硬罗帽，再穿一厚底，那就不好看了。而且若演员出于弥补个头不足之考虑，而忽视人物本身性格该有的造型，那也不合理；武松本就一个粗犷的彪形大汉，戴硬罗帽、穿一身箭衣，人会显得雅气，粗犷的力度就不够。

父亲已做了不少服饰上的改动，我也有改动，但多在衣服的料子上琢磨。我希望让衣服的质地往轻上走，那样动起来方便。比方说父亲的袴衣是黑大绒做的，我就用黑丝绒来做。父亲那个年代丝绒少，再者，他考虑用大绒，估计也是出于大绒的形状较好，撑得住，不容易塌，感觉挺拔。丝绒就是女孩子常用来做旗袍的那种料子，又轻又好看，也透气。所以我的袴衣、罗帽都改用丝绒来做。而且舞台上那大白光打上去，大绒会发乌发暗，丝绒则够亮。现在我的学生们也都不用大绒，改穿丝绒了。

侯少奎谈《单刀会·刀会》中关羽的唱腔：

唱《刀会》【新水令】的“东”字，有三个工尺：“仕伬仜”。许多学生唱到“仜”就上不去，但很多观众就是听这个来的，你若没嗓子，观众就不满足了。又若为了能唱上去，而降好几个调门，关公的气派也表达不出来。不过，这个“东”的唱法在原本的曲谱上面，其实就两个音：“仕伬”，是父亲加到三个的。我之前在上昆也看他们演《刀会》，仔细听了一下，他们唱的跟我们不一样，基本上是照原谱，“东”也就两个音。不过父亲唱这处也没有唱足，他是缓着气来唱，我嗓子痛快的时候，“嗖”的一声就上去，这地方唱好，台下都叫好，但不容易唱上去。

像我唱这戏，还有好些地方跟老谱子不同，比如“千丈虎狼穴”的“千”，谱子上是“工六”，但我就升高了八度来唱。又像最后唱【尾声】：“急切里夺不得汉家的基业”，因为临下场了，我除了在“汉”字拖长，走了一个大圆场来唱满这个“汉”字，父亲便没有特别强调，不走大圆场，就转了个身而已；而到了

“基业”，我又把这两个字唱高八度，强调这荆州是我汉家的，不是你东吴的。这些拖长高唱的地方都可作艺术处理，往往能起点睛之效，只是演员未必都有这天赋来这样处理。

侯少奎《宝剑记·夜奔》中林冲的身段：

唱到“叹英雄气怎消，叹英雄气怎消”时，王益友先生就是拍胸、转身、举掌；到了父亲，参考了尚派《挑滑车》的动作，变成了掏腿、掏腿，飞脚翻身；我则是连续四五个掏腿转身，飞脚，反飞脚、踹腿，翻身，这个动作累，但做得干脆利落，台下肯定是满堂彩。

张继青谈《烂柯山·泼水》中的曲文：

因为整编这个全本戏时，已考虑到要把朱买臣的形象提高些，不让他一再斥责崔氏。所以在这折戏里，朱买臣骂崔氏为“贱妇”“蠢妇”或其他关于她另嫁旁人、贪富嫌贫的文字，都已大幅度删减，强调二人毕竟还有多年夫妻情。

阿甲在崔氏要投水时，新加了一段干念的【扑灯蛾】曲牌，这是为了强调人物心理而加的大段独白。这种大段念白在昆曲里是较少的，所以张继青在初接触时也有点不习惯，但后来通过不断的练习与舞台实践也就顺下来了。不过这段曲牌是出韵的，没跟从整折戏的韵脚；另外也有外界评论，崔氏不断重复悔意，同一意思渲染过多，让人有拖沓之感。

张继青谈《烂柯山·痴梦》中的配器与节奏：

传统折子戏很少有用间场配器，一般就是小锣垫场。但在《烂柯山》这戏里，用了很多间场配器。即使在表演上没有什么改动的《痴梦》一折，在崔氏入睡后，众家人、皂役们上场中间，也加了古筝的配器，试图加强有入梦的感觉。

包括《牡丹亭》在内的许多配器，都是一九八三年要上北京参与“张继青推荐演出”，才加的配器处理，那时的流行的戏曲界看法，很注重戏的“丰富”性，害怕有静场出现，所以多用配器音乐填满没念白的场上时间。

而且后期在舞台上的演出节奏也加快了，对比起学戏时的节奏、八十年代在苏州的录像，因为感觉到慢得有点“温”，所以现在的《痴梦》整体节奏都加快了。

张继青谈《牡丹亭·离魂》的道具安排：

在排《离魂》杜丽娘的下场时，便曾有过几种考虑，也尝试过安排花神出场，簇拥着杜丽娘下去。但排出来后，觉得太过于一般化，最后是姚传芗老师借用了《蝴蝶梦》里庄子脱壳的处理，让杜丽娘手持柳枝，从椅后夹袋取出斗篷，披上后从椅后转身出来，象征杜丽娘身死魂不灭，也预示了她将来的重生。

六

“昆曲传承计划”及“戏以人传”系列丛书的实现，都建筑在香港城市大学的昆曲艺术示范讲座的基础上，由推广昆曲而进入到昆曲传承的研究。这十年来我邀请全国七大昆曲院团，每个学期都来香港城市大学，举办五六场示范讲座及折子戏演出。从观众参与的角度来说，大学生与爱好昆曲的民众，为昆曲的艺术传承提供了社会支援，也提供了示范及正式演出的观众群。为了了解香港大学生对昆曲的认识，以及观赏后的反应，我特别安排过问卷调查，让所有参与活动的同学填写感想。我的基本想法是这样的：昆曲作为舞台表演艺术，是精致文化的艺术传承，不仅仅要着眼于一代代演员之间的口传心授，也要重视青年观众的培养及其欣赏水平的提升，如此，则可以提高下一代人的审美品位及文化修养。进行调查，除了要了解真实具体的情况，也有其“实用价值”，是希望知道，以目前的方式推行昆曲艺术教育，对大学生昆曲认知程度可以产生什么影响，作为昆曲在大学校园推广的参考。调查具体针对四个方面：一、大学生昆曲接受现状；二、接触昆曲后的直观感受；三、昆曲最吸引大学生之处；四、易于接受的推介方式。

由于香港城市大学全校本科生必修中国文化课程，同时必须选修艺术示范讲座，所以参加讲座及演出观赏的同学，不只是对昆曲有兴趣的学生，而是来自所有科系，并且以理、工、商、法的专业占大多数。不管他对昆曲有没有兴趣，是否听过“昆曲”这个剧种，都因为要满足必修学分的要求，当作课程来参加。可以预见，有些同学十分被动，甚至感到“被迫”来观赏昆曲。从调查的角度来说，这样的调查对象比较理想，选样并不针对特定喜好昆曲的观众，正好反映了一般香港大学生的普遍观感与态度。我们趁江苏省昆剧院来校演出，让选修两场讲座、三场演出的同学，共五百人，填写问卷，回收有效问卷三百五十三份。问卷的问题，分为选择题与问答题两种类型，在讲座与演出之前发放，于讲座及演出结束之时，由工作人员回收。

我们得到的调查数据非常有趣，也与本来预期的结果不尽相同。跟我预期差不多的是，曾经接触过昆曲的，占20%；而80%是从来没接触过昆曲，甚至听都没有听过“昆曲”这个名称，只是因为必修，不得不参加。跟我预期不尽相同的是，同学之中有46%，将近有一半人，对昆曲表演的整体感受，觉得是“精彩动听”；38%觉得“尚佳”，那意思就是不错；12%觉得“一般”，也就是马马虎虎，还看得下去；2.5%觉得“不精彩”，应该是表示不喜欢，想来以后也不会再去观赏了。这个数据，反映百分之八十的香港大学生没接触过昆曲，却在第一次接触之时，大多数人有“惊艳”之感，只有百分之二点五觉得不精彩。以我在大学教书三十多年的经验来看，任何精彩的讲座或示范演出，能够得到百分之八十以上同学的接受，就算是很成功了。

同学们对昆曲的演唱，反应也出乎我的意料。昆曲的水磨调，千回百转不说，唱腔用中州韵，念白夹杂苏州话，是香港同学不可能一听就懂的，调查的数据居然是30%觉得“精彩动听”，46%觉得“尚佳”，18%觉得“一般”，只有4.5%觉得不精彩、不动听。至于昆曲舞台上展现的身段功法，则让同学们佩服万分，59%觉得精彩，35%觉得尚佳，4.5%觉得一般，认为不精彩的只有不到2%。我想，同学们在填写问卷时，对昆曲的“有声皆歌，无动不舞”一定有着很深刻的印象，即使从来没接触过这种表演艺术，也为之动容，从内心佩服昆曲“四功五法”所展现的高超技艺。

让同学自由填写的部分，出现了许多有趣的感想，这里列举几个典型的例子：其一，“故事引人入胜，但文辞较难明白，需要观看荧幕的解释，难免有时错过演员丰富的面部表情和生动的演出。”其二，“感觉挺新鲜，因为平常都听粤剧多一点，今次真的是，连唱的歌词及台词是什么都不知道，非得看字幕不可。而且看中文字幕都不太明白，竟然要看英文作辅助，真觉得自己这样的看戏真的挺有趣！”这样的感想，主要反映了香港大学生不太接触古典文学，同时也对中国文化传统隔阂很深，不但没听过以前是家喻户晓的故事情节，对昆曲优美典雅的曲文，对古典诗词幽淼深邃的传统文辞，也难以理解，必须藉助英文翻译的字幕，才知道唱词的内容。这倒是很像英美地区上演意大利歌剧，观众总得藉助英文字幕才懂得唱词的意义。

同学对昆曲的身段表演，虽然不太习惯其优雅舒缓的节奏，却都十分称许。如："表演精彩，演员表情、身体语言生动。昆曲腔调古怪，不太懂欣赏，但讲座加深我对昆曲的印象，有正面的改观。女演员戏服造型华丽。剧情发展节奏太慢。"再如："原以为昆曲是十分沉闷的，不过欣赏过后觉得昆曲有优胜之处，例如昆曲的唱腔和演员的幽默表演都值得嘉许。"可以知道，年轻人对昆曲或一切传统戏曲是存有成见与误解的，认为昆曲十分沉闷，接触以后，才发现表演优美。甚至一开始以为昆曲唱腔很古怪，听过讲座介绍之后，改变了认识。

这个调查报告很重要，有确实详尽的数据，可以显示，八成的大学生选课前都没有接触过昆曲，因无知而产生误解与隔阂，甚至不愿意接触昆曲。然而，在第一次亲身接触之后，大多数香港大学生态度大为改观，认为中国传统音乐与戏曲十分优美典雅，超乎他们的想象。同学们陶醉在昆曲的曼妙歌舞之中，对中华传统文化的隔阂，即使尚未消失，至少是减弱了。不过，大学生对于昆曲的观赏点，主要集中在舞台美妙的身段表演，以及乐曲的婉转动听，还是比较直观易懂的方面，而对昆曲的文辞之美，大部分学生不仅无法体会，反而认为是文字的拦路虎，阻挡了他们对演出的整体欣赏。看来，昆曲涉及的古典诗词是一层麻烦的障碍，动人心弦的优美辞藻居然成了文化隔阂的因素。推广昆曲，任重而道远，还有很长的路要走。希望“戏以人传”昆曲系列丛书，能对年轻一代有所影响，改变他们对中国文化传统的认识，同时能够了解非物质文化传承的意义。

七

“昆曲传承计划”限于经费与资源，只能有限度邀约一批资深演员来香港，而实际上需要并值得留下艺术纪录的昆曲艺术家仍有很多。这些演员同样继承着上一辈老师的艺术，其本身的行当、承传的剧目、演出风格等，都有其独特之处，都是昆曲艺术的宝藏。在全国各个昆曲院团中，也保留了不少影像或文字资料，但限于其本身的保存意识不足，或技术资金问题，未能把一些老资料很好地保存起来，更不用说将之发行，供研究者参考著论。这些资料却很可能随着时间而日益损坏、遗失。

作为“昆曲传承计划”的补充，我向香港政府的大学研究资助委员会申请，得到“二十世纪昆曲传习与中国文化传承计划”的资助，于二〇一〇年启动。该计划对中国六大昆曲院团三十九位老一辈昆曲艺人、导演、编剧、作曲、乐师，以上述同样的研究规划，进行了口述历史记录，并探访了院团资料室，搜集当地重要的昆曲表演资料。虽然我们希望尽力弥补昆曲演艺传承资料的缺失，但由于探访时间有限，还是难免有所遗漏。

昆曲艺术的资料除了保存在院团、在演员身上，还保存于业余曲界。昆曲与文人的关系一向密切，许多文人除了唱曲，还学戏登台演出，有些戏甚至只见于曲家、名票，但未曾于专业院团演出过。同样，昆曲除了戏工，还有清工一脉。从音乐传承的角度来看，昆曲的清唱艺术，甚至比舞台上的演唱艺术更为重要。但如今谈昆曲传承，连正式表演剧团的研究都不够，对业余曲界的关注当然就更少。从全面理解昆曲作为非物质文化传承而言，也该对上海昆曲研习社、北京昆曲研习社等一批前辈曲家进行采访纪录，才能对于昆曲的发展历史、曲唱艺术的社会基础，得到更深入的认识。

我们希望有更多资源、更多学者能投入昆曲传承研究，让中国非物质文化传承中审美境界最高的昆曲表演艺术，得到社会的关注，享有其应有的文化地位。舞台表演的传承实践，是科班出身的“内行”演员的责任，学术界较难置喙。但是，资料保存及抢救工作，艺术传承的研究，却是学界的本分。我们在香港城市大学虽然进行了十多年推动与研究工作，然而，由于地域的阻隔，七大昆剧院团分别设于北京、南京、上海、苏州、杭州、湖南郴州、浙江永嘉，使我们在研究上感到鞭长莫及，疲于奔命。长期以来，我一直建议各地的大学参与研究，由本地或邻近院校做当地的昆曲资料保存与记录，如北京院校做北昆资料，上海院校做上昆资料，苏州院校协助苏昆、南京院校协助江苏省昆，湘昆则由湖南院校来安排，这将省去许多行政资源，活动的开展也会更为迅捷有效。我们出版这一系列“戏以人传”的昆曲资料整理，是为了抛砖引玉，引起学界的注意，希望我们做的昆曲艺术传承探索，能够提供一些翔实的研究材料，也呈现一种研究方法与案例，就教于海内外同仁方家。

“不小心”成就的大事

“大师说戏”是项了不起的计划，为昆曲传承作出了重大贡献，弘扬了中国文化最精粹、最优雅的表演艺术与审美情趣，是件可以名垂青史的大事。由叶肇鑫先生独资赞助，汪世瑜策划指导，二十六位昆曲表演艺术家亲身参与，让一百多出昆曲折子戏的传承精髓，得以通过先进影视艺术的呈现，公之于世，实在是非物质文化传承的一大功德，同时也树立了个人如何发扬民族文化的典范。叶先生时常谦虚地说，他是“一不小心，做了一件大事”。“大师说戏”的确是件大事，然而，叶先生从独力斥资，到邀请艺术家、建立制作影片团队、监督计划的进行，兢兢业业，事必躬亲，哪里是“不小心”？他说的“一不小心”，其实是一个历史机缘，是一个偶然的机遇，造就了“大师说戏”的重大历史必然。

叶肇鑫先生每次见到我，都称我为“老师”，让我从心底感到愧不敢当。我们年纪相若，怎么敢随便就忝为人师？他坚持说，“大师说戏”的想法是跟我学的，古人学一个字都有“一字师”之说，整个“大师说戏”计划就是根据我在香港城市大学创设昆曲传承计划的延伸，是用影视手段来展现与推广我的理念，当然要表明师承。听他这么说来，似乎也有道理，不过，我这才是“一不小心，成了好为人师”了。承叶先生厚意，我在这里简单说说昆曲传承的文化意义，以及“口传心授”不仅是戏曲传承的独门秘诀，也必须成为人类社会文化认知的一环，以确保人类非物质文化传承的赓续。

中国戏曲的传承，从来都是靠口传心授，师傅传徒弟，一代一代，把世代累积的艺术精髓，传衍发扬下去。昆曲的传承更是如此。自从明万历年间魏良辅创制了水磨调，梁辰鱼依腔行调，写成《浣纱记》之后，四百多年来，昆曲的传承得以一直延续到今天，靠的就是无数的曲家、文人、伶工、演员，投身于这一门艺术的发展，通过口传心授的方式，才使得昆曲传到今天，成为中国表演艺术的瑰宝。

昆曲的发展与传承，四百多年来，经历了四个阶段：从明万历到清乾隆年间，两个多世纪，是昆曲的兴盛期，社会各阶层趋之若鹜，成为全民的文娱活动；十九世纪，是守成到衰微的时期，昆曲成为后继乏力的雅调，逐渐让位于花部乱弹；二十世纪，昆曲全面衰落，以至于濒危，几乎断灭消失于天壤之间；到了二十世纪末，进入二十一世纪，因为中国人自己的文化觉醒，以及联合国教科文组织倡导“非物质文化传承”，昆曲才得以复兴，俨然成为中国传统表演艺术的代表。然而，无论是兴是衰，昆曲艺术不绝如缕，延续到今天，靠的是昆曲从艺人员的代代相传。

在过去，文化传承主要是靠文字图像记录，所谓“文献可徵”，非文字的艺术传承是比较困难的。明代陆容的《菽园杂记》就记有当时人的一段话：“凡人学艺，须学有迹者，无迹者不能传后。如琴弈皆为无迹，书画诗文有迹可传也。”在古人心目中，具体文献材料才是文化传承的保证，音乐舞蹈乃至于戏曲古琴都属于“无迹”，是很难传承到后世的。

只有认识到“无迹”文化传统之可贵，才会排除万难，尽力弘扬与传承。昆曲就是这类“无迹”的艺术传承，能够经历四百多个春秋的风云变幻，而能承传到今天，也实在是个异数。称之为“无迹”的奇迹，也不为过。联合国教科文组织在二○○一年公布第一批十九项“世界非物质文化传承杰作”，首列昆曲，二○○三年又公布《保护非物质文化遗产公约》，就提醒全世界，要注意过去“文献不足征”的方面，要对口传心授的民间文化传承，多加重视，以确保人类文化的多元性。

需要特别指出的是，昆曲传承不仅仅是表演技艺的传承，也是中国文化与审美追求的传承。因此，昆曲面临现代文化转型而式微，遭遇西方强势文化横扫世界而遭人遗忘的处境，就不只是昆曲从艺人员自身专业的焦虑与关怀，而是所有关心中国文化发展、关心世界文化多元性，关心人类历史文化流传演变的有心人，必须正视的宏大文化课题。

这十多年来，我在香港城市大学推行昆曲传承计划，目的就是要利用现代科技的便利，通过高等教育的平台，举行艺术示范讲座，发掘昆曲这项“无迹”文化传统的艺术精髓，让青年学子体会中国文化的优雅，耳濡目染，提升下一代精英的文化素质。我们邀约一批昆曲艺术家赴香港城市大学进行示范讲座，并进行文字与影像双轨记录。重点是以受访的艺术家为轴心，上溯师承，回忆自小学戏的经历，旁及同科的同学，演出艺术成长的过程，以及后来教戏的体会。环绕每一出戏的具体演出，如剧本、唱腔、表演身段、配乐、舞台美术（妆扮、道具等）的传承与变化，做出细致的分析与探讨。十多年下来，我们平均每年举办二三十场昆曲艺术示范讲座，七八场演出，让昆曲活跃在大学讲坛上。同学们多所受益，不但体会了昆曲是中国文化的重要艺术传承，而且对传统表演艺术发生了兴趣。

在二〇〇七年，我邀得老友汪世瑜任驻校艺术家，就青春版《牡丹亭》进行十五场专题示范讲座。要求他仔细讲解，作为青春版《牡丹亭》的“总提调”，重新排演《牡丹亭》，如何反思他的艺术体会。（详见本书《“戏以人传”昆曲系列总序》一文）

由于汪世瑜说戏的成功，我们于二〇〇八年正式设立了“昆曲传承计划”。进行计划之前，我做了一些细节的规划，拟定访问与探讨的议题，然后，邀约一批昆曲艺术家赴城大进行示范讲座，并进行文字与影像双轨记录。我们尽可能纪录下一切跟昆曲传承有关的材料，特别是传承过程中的增益变化及其变动的根由。不仅是纪录艺术家当下的表演体会与演出程序，还上溯前辈传递的艺术信息，希望能够捋清二十世纪昆曲传承的面貌。（详见本书《“戏以人传”昆曲系列总序》一文）“昆曲传承计划”经过五六年的运作，陆续邀请了十多位昆曲表演艺术家来港示范讲座，并进行口述历史系列访谈。限于经费与资源，我们只能有限度邀约一批资深演员来香港，而实际上需要并值得留下艺术纪录的昆曲艺术家仍有很多。这些演员同样继承着上一辈老师的艺术，其本身的行当、承传的剧目、演出风格等，都有其独特之处，都是昆曲艺术的宝藏，还有待进一步发掘。

我们的计划揭示，昆曲传承以“戏以人传”为轴心，特别重视个人演艺的历史变化轨迹，以及舞台演出是如何在适应时代环境变化的同时，还能保持“原汁原味”。我们认为，“原汁原味”的真正意义在于传承艺术精神，而不拘泥于一招一式。根据演员天赋不同，对舞台艺术的体会不同，对剧情人间处境的深化理解，把自身的艺术体会展现到极致，自然就有各自不同的风格与面貌。但是，优秀的演员知道，万变不离其宗，坚持传统戏曲表演规范，以之展现昆曲艺术的个人创新，承继昆曲的高雅境界，还是在发挥“原汁原味”精神。

我们要让学生理解，一切优质文化艺术的传承，都有个人的具体历史因素作为杠杆，要把一切聪明才智全心全意投入，才能承继历史累积的精华，有所依据而创新。表演艺术需要观众，有优质的观众才能刺激优秀的演员，呈现与鼓舞优质的演出，传承优质的文化艺术。十几年下来，学生的反应很好，百分之八十的香港同学都认为昆曲唱腔优美动听，舞蹈身段赏心悦目，愿意作为昆曲观众，翼护昆曲艺术的发扬。

在大学校园推展昆曲传承计划，最让我感动的，是前来旁听的民众。有的人风雨无阻，场场必到，爱好昆曲艺术已达痴迷的境地，其中就有叶肇鑫先生。叶先生说，他来观赏了两三百场讲座及演出之后，做出了他一生最有意义的“疯狂决定”，要资助昆曲传承，为昆曲表演艺术拍摄系列纪录片，呈现当今仍然存世的一百多出传统昆曲折子戏。于是，他不辞辛劳，开始了“大师说戏”计划。

叶肇鑫的“大师说戏”纪录片系列，虽然是我们昆曲传承计划的浓缩，却在浓缩选择上有所精进发展，同时还补充了许多独一无二的优秀剧目。“大师说戏”以剧目为纲，请最合适的昆曲大师来说戏，所谓“一人一戏”，其实并不是一个人只说一出戏，而是一出戏由一人来说，搜遗补阙，尽量呈现昆曲现存的剧目。这是件关于文化传承的大事，厥功甚伟，值得庆贺。

昆曲超现代

——“小兰馨苑”香港城市大学演出序

昆剧是中国传统戏曲最有代表性的剧种，因为它源远流长，剧目众多，在舞台艺术上又发展出许多精彩的表演手法与程序，细腻生动地刻画了形形色色的人物，并且通过不同的情节故事，展现了中国传统社会的人生处境，悲欢离合。为了强调昆剧的重要，有的学者称之为“百戏之母”，主要是说明清以来的中国戏曲的主流是昆剧，其他剧种都受到昆剧的影响而发展，都从昆剧吸取养分而茁长。如京剧、汉剧、湘剧、川剧、徽剧、越剧，乃至于广东戏，都是从昆剧剧本及表演程序各取所需，发展出各自的面目。

昆剧崛起于晚明时期（约当公元十六世纪），以苏州地区的昆山为滥觞，因此，称作“昆曲”。它的特色是唱腔细腻柔美，动作优美迷人，反映了江南富庶生活追求雅尚的情趣。因此，明清两代风靡大江南北，引得无数文人雅士投身戏曲创作，累积了大量的演剧素材与舞台实践成果。汤显祖投身戏剧创作，写出《临川四梦》（包括了脍炙人口的《牡丹亭》），就反映了明末清初社会发展变化的时代精神与文化风尚。

有人说昆剧的高雅细致，一味阳春白雪，最后就脱离群众，被通俗的地方戏曲取代，验证了“脱离人民群众，必遭历史唾弃”的历史规律。这个说法充满教条口吻，是把政治社会所反映的生产关系，硬加到文化艺术领域之中，忽视了艺术形式发展到顶峰，就会求变，就会另起炉灶，创新形式。但是，已经发展到顶峰的艺术形式，是人文创作的最高成果，是精华而非糟粕，不应当遭到唾弃，而应好好地保存，作为文化艺术创新的资源，流传永续。我们对待唐诗、宋词是这个态度，对待希腊悲剧、莎士比亚是这个态度，对待莫扎特、贝多芬是这个态度，对待昆曲也应该是这个态度。昆剧的高雅细致，通过载歌载舞的形式来呈现人世的悲欢离合，正是昆曲的艺术特色，是四五百年文化艺术的累积，是个艺术顶峰，也是人类文化遗产中无可取代的宝贵资源。

香港城市大学中国文化中心这次邀请苏州昆剧院的小兰花班（雅称“小兰馨苑”）到香港，由白先勇领队，做一系列的示范讲座与呈演，目的就是希望现代的青年接触并了解，中国传统文化有昆剧这样的艺术顶峰。在欣赏传统艺术形式之时，要理解艺术有超越时代限制的能量，因为其中蕴积着无数艺术家的心血，从剧本创作到舞台唱做，经过了数百年的细致打磨，精益求精。这就是艺术所提供的人文精神，也是艺术为人类文化提供的最美丽的贡献。

人类文化最美好，最优秀的艺术精品，是永远不会过时的。它超越了每一个自诩为“现代”或“后现代”的时代，因为它灌注了世世代代的真纯心血，为后人提供了范例与资源。昆剧就是这样的精品，的确是阳春白雪，但只要人们还有心，还希望文化艺术的创新与提升，它就不会遭到历史的“唾弃”。

《在纽约看电影：电影与中国文化变迁》自序

《在纽约看电影：电影与中国文化变迁》所收的文章，大都是我十多年前在纽约写的，是教学研究之余的副产品。以“在纽约看电影”为书名，陈述了看电影的特殊环境与角度，点出了这些文章写作的背景。我当时义务担任台湾一份学术文化刊物《当代》的编委及驻美代表，也以此名义参加纽约电影节，观赏纽约电影界每年从世界各地挑选出来的电影杰作。这时正值中国电影新浪潮涌现，探索反思中国文化传统在现代转型中面临的具体人生处境，展现中国人内心的感情世界，引起我的特别关注，成了我报导与探究的重心。书名副题“电影与中国文化变迁”，则是本书的主题，藉着讨论影片的文化与艺术思维脉络，思考电影在近百年中国文化变迁中扮演的角色，及其推动文化变迁的地位与价值。

我在这些文章中，不只是就电影谈电影，而是把电影作为一种时代的文化产物，而且是近代人类社会意识转型中的新生事物来思考。从世界整体的角度说，电影是全球化过程中思想意识领域的急先锋；从中国文化变迁的角度说，则代表了现代化与现代意识的创新，以及在创新中对文化传统的反思，甚至在反思中寻求自我的定位。

本书在十年前整理成书，并交台北某出版社付梓排印。在初校阶段，我想增加一两篇文章，并改动结尾。正在此时，责任编辑转任企业界，没找到接替的人手，修订的工作就停了下来。再来是出版社找不到书稿大样，计算机排版的资料也像电影演完后，空余白茫茫的银幕，母带失踪了，只剩下我手边待修改的拷贝。出版社做了一番努力，上穷碧落下黄泉，可惜两处茫茫皆不见。我也在这“茫茫不见”书稿的时候，离开纽约，到香港任教。时迁地移，一堆书稿就这么一放十年。

来了香港之后，工作的忙乱，使我再也没有生活在纽约的余裕，抽不出时间去看电影。不要说香港电影节没去过，连我自己在香港城市大学担任文康委员会主席，每年主办的欧洲电影节及法国电影节，也只是必须出席开幕而得以观赏第一场。回想起来，十年前对电影的热衷，通过电影而思考艺术思维与文化变迁的关系，执着地搜集相关材料，恍如隔世。不过，近年偶尔也看看我过去探讨过的导演的新作，如陈凯歌的《荆轲刺秦王》《无极》，张艺谋的《英雄》《十面埋伏》，也有恍如隔世之感。好像好莱坞的商业大潮与金钱取向，已经完全淹没了他们的文化关怀与艺术良心。有钱能使鬼推磨，人之沉沦可以至于斯，也是电影文化研究必须面对的新议题。也许是人年纪大了，自感时不我待，没有余暇去浪费光阴，对无大意义的市场取向影片愈来愈感到不耐烦。不久以前看冯小刚的《夜宴》，开始有一场葛优与章子怡的床戏，葛优的演技虽然不错，很能表现谲诈之中的猥琐，但情节的装模作样，语调之故作高深莫测，好像哈姆雷特鬼魂（不是他父亲的鬼魂）附身一样，令人起鸡皮疙瘩。

还看了张艺谋的《满城尽带黄金甲》，除了莫名其妙的视觉震撼，满殿宫女尽露胸之外，没有任何艺术可言。倒是看了贾樟柯的《三峡好人》，感到毕竟人心未死，新一代导演对人生处境还是充满了热切的关怀，让我觉得这本书中探讨的主旨还不至于变成明日黄花。

李安《色·戒》幕后一瞥

一

李安的助理打电话来，说导演要请我去参加酒会，然后观赏香港的首映。没说三句话，电话那头就兴奋起来，大声说，太棒了，太棒了，导演得了大奖，太好了，你有没有看到他领奖？我说没看威尼斯影展的颁奖礼，是从新闻报导上得知的。他又兴奋地大叫，哇欧，太好了，太好了，他们没办法，一定要给他最大奖的，没办法不给的。我心想，小伙子高兴得语无伦次，也该称赞两句，就说，你们跟着导演做了那么久，都是有功之臣，电影拍得好，你们每个人都有贡献。金狮奖表扬整部影片，也就表扬了每一个参与制作的工作人员，你当然也有份了。小伙子突然谦虚起来，音调降低了，说没有啦，我没做什么，只是打打杂，都是因为导演拍得好。

我和小伙子相熟，是因为李安拍《色·戒》，只要人在香港或大陆，都由他和我联络。经常打电话来，说导演想跟你说话，有没有空啊？在他心目中，“导演”就是“那一个导演”，是与李安画等号的，不说姓名，似乎有点避尊者讳的意味，别人则是张导、林导，想来无法相提并论。他时常奉导演之命，拿一改再改的剧本资料给我，要我提意见，见面时毕恭毕敬的，我想，那是我沾了“导演”的光。有一次，他接我到松江的上海片场去看拍摄，路上问我，和导演是老朋友吗？我说，我们在纽约认识的，十多年了吧，谈得来，每次他有了什么想法，总会跟我讨论一番，然后就认认真真送资料来，我当然也就认认真真地看，认认真真提意见。导演很谦虚，对意见一定仔细思考，然后说出自己的看法，再和你商量。我也就以“诤友”自居，知无不言，言无不尽。他是个真诚的人，真诚对待电影，真诚对待工作，真诚对待自己的艺术感觉，也真诚对人，让人愿意为他做点事，的确是当导演的长才。小伙子说，是啊是啊，我就一心想帮导演做点事，帮他把事情做好。

放下电话，不禁感到欣慰，觉得李安得奖是实至名归，而每一个为他工作的人都为此高兴，与有荣焉。

二

李安第一次为《色·戒》找我，在一年多以前，是另一位助理从纽约打电话来，也是同样一句话，导演想跟你说话。两人寒暄了两句，他就问我有没有读过张爱玲的《色·戒》。

——不记得了，怎么？——我想拍一部张爱玲的电影，你可不可以看看故事，提点意见？

我心想，怎么又是张爱玲？他好像猜到我心底的疑虑，就说，想拍个不同的张爱玲。那口气就像当年打算拍《卧虎藏龙》，找我谈王度庐，我说又是武侠片吗？他回答说，想拍个不同的武侠片，追求“侠”的精神。不同，就是有新想法，流行的词汇就是“创意”，这次是轮到张爱玲了。于是，我就重新找出了“祖师奶奶”的作品，仔细看了一遍，想想有什么特别的张爱玲精神。故事不错，像个电影剧本的初稿，有的地方刻画入微，有的地方却粗枝大叶，只有一个轮廓，可以编出许多花样。精神嘛，也的确有特殊之处，尤其是结尾的转折，独具一格，是张爱玲的冷酷与残忍。

过了几天，又打电话来，谈了许多故事细节，特别是人物角色的性格。物色演员，说容易也容易，因为到了这份儿上，李安大导演的戏，当然是戏挑人，不是人挑戏。说难也是难，因为他对每个角色的塑造，已经有了大体的轮廓，而且有些特殊的要求，以配合心中追求的艺术感觉。记得他拍《卧虎藏龙》，女主角玉娇龙的选角，就煞费苦心，跟我谈过好几次，一起分析玉娇龙的性格，要端庄之中潜藏着野性，纯洁深处有一种天生的谲诈不羁，当然还得是不可方物的娇美，令人为之惊艳。我说，抽象描绘人物，也真能描个八九不离十，可是要我选角，我是一筹莫展。他苦笑说，真是令人头疼，这角色要挑大梁，整出戏要她撑上半边天的。后来怎么找到的女主角，那是导演的本事，我就不知道了。这次拍《色 · 戒》，又是女主角难找，要纯真得青涩，又要有几丝潜藏的风骚，同时具备天使与狐狸精的个性，是个人生经历单纯，内心情欲复杂的人物，假戏却又真做，想玩火却惹得烈焰焚身。李安说，他打算找个新人，自己塑造个演员。正式进入选角阶段，李安不再和我商量，因为我对演艺圈几乎一无所知，他当然也清楚。

三

李安给我看的剧本，是他改过一次的，可是他坚称是初稿，还要大修。我提了不少意见，尤其是涉及历史氛围的细节部分，有些语词表达的方式不妥，有些应对的关节别扭，都要改。我建议他去找几位当年生活在上海的老克勒，听听他们的意见。后来他来香港拍片，正逢我组织了一个国际人文会议，来了好几位研究上海近现代史的专家，就一一给他介绍了，要他到上海时可以咨询。有的是研究上海城市地理变化的，有的是研究上海文化变迁的，还有一位是研究七十六号秘密机关的。影片已经开拍了，时间很紧，他还都一一求教，力求精准地掌握时代氛围。

他请我帮的一件大事，是把剧本的英文修订稿翻译成中文，以便再做修订。我这才搞清楚，他编订剧本的编剧流程，原来是如此繁杂，也因此而精密仔细。先有大纲，写成中文初稿，译成英文，有了英文初稿。再修订改写英文稿本，写出英文二稿，译回成中文，就有了中文译稿，再用中文译稿来修订，他自己也参与定稿，就可以开拍了。我问他，为什么要翻来翻去呢，他说，因为有两个编剧，一个是中国人，一个是美国人，他要让他们自由发挥，同时又能吸取两者之长，如此，拍出的影片可以同时照顾到中国观众与欧美市场。我听了，茅塞顿开，才知道李导演果然不同凡响，同时照顾艺术与市场，不是我这种书呆子。我太忙，无法独立担当翻译，就请了一位翻译家负责，自己只做润色的工作。突袭了一个多星期，译稿全部交差。至于导演怎么处理最后的定稿，如何运用来回修订的剧本，就非吾所知了。

影片开拍之后，李安总想安排我去看他拍摄，我却一直忙，抽不了身。他说香港变化太大，连香港大学的实景都没法拍，只好另外找了一处，搭了景拍。去槟城拍片，也是拍的香港的部分，问我有没有兴趣走一趟。我说兴趣是有，时间却无，只好割爱。最后安排我到上海去看他搭的景，说是按照历史实景重现的二十世纪四十年代南京路，用了上海档案馆的资料，每一家店铺都经过详细考证。我去了，不过，那天下着雨，无法拍外景，只能抓紧时间补拍一些室内的镜头。我看到的一景，是汤唯饰演的王佳芝带了易先生（梁朝伟饰）到裁缝铺里做西装。一个镜头拍了一上午，NG 九次，才算完工，让我深切体会了电影表演原来是个体力活，电影演员的阶级成分可以划作“劳动人民”。

四

摄制期间，李安开始思考片头的美术设计。他拿不定主意片头要用什么字体，是计算机美术字，还是请书法家题字，还是用刻印。我说，你去找找宋版书，特别是北宋版的，有些字体端庄大方，又不减秀丽。台北所藏宋版《李太白集》和《杜工部集》我用过，字体都漂亮得不得了，一定可以用的。我同时给他介绍了好友区大为，区兄的篆刻别具一格，刚健崚嶒之中不失妩媚。后来，这两项美术设计都蒙导演采用，让我窃喜不已，觉得自己眼光不错。

我去上海看拍摄时，李安跟我说，进度滞后了好几个月，要抓紧时间。拍摄完毕，他回到纽约剪辑，开始没日没夜地工作。有时打电话来，没找到我，留话说他会工作到深夜，请我打回。有一次，我出差回来，他的纽约助理打电话来，说导演有急事找我，找了两天了。李安问，当时汪精卫伪政府正式的称号是什么。我说，不是“国民政府”吗，他们自称南京政府是为了方便，也没错的，总之不会自称伪政府。他说，这个自然知道，只是想知道还有什么称号。我帮他查了查，也查不出还有什么更正式的称号，第二天告诉他，汪精卫没改国号，也没改国旗，只在国旗下方添加了六个字“和平反共救国”。

他说，这些都知道的。——既然都知道，还那么紧张找我？——只是想确定一下，万全之计。（我不禁哈哈大笑。）——你就是仔细，比研究抗战时期上海史的专家都仔细。——仔细点没错，疏忽就麻烦了。影片会先去威尼斯，九月二十二日在香港首映，你安排一下，一定要来看。我把你也列入了影片的credit，是顾问，学术顾问。

再来就是威尼斯影展得了金狮奖。影片到底如何，我还没看到，只好说说幕后的吉光片羽。

云霞绚烂李云侠

剪纸是欢快活泼的民间艺术，简单朴实，一把剪刀，几张彩纸，在巧手的摆弄之下，三下两下，就剪出一朵灿烂的牡丹，喜气洋洋的连珠福字，云蒸霞蔚的八仙献寿，或是剪个老鼠搬家，老鼠嫁女猫抬轿，大公鸡啼唱咏叹调。贴在床前，贴在灶头，贴在粉墙之上，贴在窗棂之间，这些红红火火、花花绿绿的装饰，给农业社会的家家户户带来喜庆的气氛，为老百姓的日常生活增添几分绚烂，让平素是单调无奇的农村霎时亮丽起来。

剪纸艺术的工具与材料，简单到唾手可得，就是一把剪刀、几张彩纸，即使是山沟沟里的穷乡僻壤，也可以进行艺术创作。关键是要有一双巧手，要有这么一个心灵手巧的艺术家，才能化平淡为绚烂，化腐朽为神奇。过去的农村，爷们每天起早贪黑，都到地里干农活，妇女则在家里打点家务，附带做些手工女红，维持男耕女织的平稳生计。农村妇女或许没有机会接受高等教育及艺术技能训练，但是天生我材必有用，总会出现一些特别聪慧的女子，把日常生活所见，利用最简单的材质，通过巧妙的艺术加工，化作赏心悦目的艺术品，丰富生活情趣。李云侠就是这样一位心慧手巧的女子。而且，不单是她本人，她的母亲以及她奶奶，都是兰心蕙质的农村妇女，都充满了艺术想象，能够舞动一把小剪刀，剪出令人欣羡的一片天地。

李云侠曾经跟我说过，她学剪纸，没有什么诀窍，也没上过学习班。就是看着奶奶与母亲动手实践，三下两下，剪出一只满地觅食的小鸡，一只振翅而飞的小鸟，一朵盛放的鲜花，让她兴奋无比，决定自己也要掌握这门手艺。学艺的经过很单纯，毫无功利诱因，纯粹是因为爱好，因为剪纸可以发抒内心的艺术向往，可以带来欢愉的成就感。她说，自己就是喜欢剪纸，剪个小人，剪个小鸟，剪个鸳鸯共白头，剪个百鸟朝凤花向阳，多么有趣，多么开心。

从来没想到，我会称她为剪纸艺术家，会登上艺术的殿堂。我说，在剪纸的领域，李云侠融合了传统民间技艺，又能发挥自己的艺术巧思，精益求精，青出于蓝，当然是世界一流的艺术家。即使有人会义正词严，板着脸指出，剪纸是民间通俗艺术，是雕虫小技，比不上泼墨山水的大写意，比不上层层赋彩的油画，我还是要说，剪纸也是一门不容否定的艺术，豪华落尽见真淳，其中也有不同的境界。王国维在《人间词话》里说过："境界有大小，不以大小分优劣。细雨鱼儿出，微风燕子斜，何遽不若落日照大旗，马鸣风萧萧。"在剪纸艺术这个领域里，李云侠的作品，细致温柔，栩栩如生，可堪比拟工笔画领域的于非闇，绝对担得起"艺术"二字。

许多年前我为李云侠及她的母亲，在香港城市大学艺廊办过一次剪纸联展。这些年来，李云侠的剪纸技艺又有了新的发展，小剪刀的运用更是出神入化，一张张彩纸都化作翩飞的彩蝶。所以，我乐于为她办这次个展，并为之序。

瞻仰妈祖
——《妈祖圣迹图》展览序

妈祖信仰流行于中国沿海地区，也由于华人泛海迁徙而广被海外。从东北到海南，从日本到东南亚，只要有华人在海边聚居，就有妈祖庙，或称天后庙，就有四时鼎盛的香火，就有人膜拜顶礼，就有人把讨海生活的休戚或乘桴远行的安全寄托于妈祖的保佑。

妈祖信仰还不单止是信仰，不单止是建庙造像的膜拜，还因深入民心而渗透到人民日常生活之中。妈祖生日（天后诞辰）有迎神赛会，老百姓自动自发组织太平清醮活动，摆布起车队仪仗让天后巡游四方，甚至不远千里安排妈祖归宁，回到福建莆田的湄洲岛。在沿海人民的生活中，妈祖信仰的相关活动最能反映民俗，也笼罩了人们对海洋与陆地的想象。陆地是安居乐业的场所，海洋是生计活动的空间，而妈祖则是保佑人们工作劳动与生活的神祇，让人活得安稳，活得平安幸福。

我时常想，中国海上最重要的神是妈祖，是救难护佑人们生命安全的母亲神，就像是救苦救难观世音菩萨的海上版。这与希腊的海神波塞冬（Poseidon）相比，有着截然不同的性格与作用。波塞冬是海洋的霸王，颇像中国神话中的海龙王，翻搅波涛，惊天动地，扰攘得船民日夜惴惴不安，充满了畏惧。有时波塞冬更像海里的牛魔王，生了气，一股牛劲犟到底，追捕奥德修斯到天涯海角，一口气迫害了十年之久，让奥德修斯永远漂泊，回不到自己的家乡。妈祖则如慈母哺育儿女，在海上救援船民，让人人能够安抵家园。中国与古希腊的海上波涛，险恶之时都会吞噬人命，但人们对神明的想象居然如此不同：一个是慈祥救苦的妈祖，另一个则是横行霸道的波塞冬。

在中国民俗画中，我们时常看到妈祖的形象。这次于平与任凭两位民俗艺术家创作了一百米长的版画长卷《妈祖圣迹图》，在香港城市大学艺廊展出，洵为盛事，值得庆贺。

如此大规模制作版画，要有超乎常人的毅力，并且对此题材也要有虔诚的敬仰，才能坚持两年的创作时间，完成这样宏伟的民俗艺术作品。

据艺术家自己说，他们首次知道妈祖，是在台湾新竹，路过一座庙宇，看到门前香炉的香火正旺，香烟缭绕，仙气飘飘。他们突然产生了进庙上香的冲动，感到有一种上天的召唤。他们上香叩头之后，还不知所拜的是何方神祇，经人指点，才知道是妈祖庙。从此，他们才一点一滴，了解妈祖文化，然后开始创作妈祖题材的作品。

艺术创作是需要灵性的，要摆脱人世的庸俗与金钱的诱惑。精彩的民俗艺术，有着大家喜闻乐见的民间通俗气息，却绝不庸俗，也不会为了市场价格而媚俗。于平与任凭的《妈祖圣迹图》长卷，是有灵性的民俗艺术，或许就在冥冥之中一直受到妈祖的护佑，保持艺术的灵根不灭。

因此，我们瞻仰这一幅妈祖圣迹长卷，不但会感受艺术创作的灵气，也因创作者的虔诚，而能真实感受妈祖福佑人世的恩泽。

严寒过后的北大荒

——评张抗抗著《分界线》

北大荒是苍茫荒淼的草原，在黑龙江省的北边，人烟稀少，野草茫茫地长着，肥沃的黑土等待着人来开垦。北大荒也是迷人的地方，在这片辽阔的土地上，一望无际，只要掷下汗水，不吝惜踩在黑油油土地上的脚印，种下去的玉米、大豆和高粱就像翠绿的野火，翻腾过你眼界的尽头。

然而，在北大荒，风雪咆哮的时间却有半年之久。茫茫的草甸子，在积雪消融之后，又泛滥着洪水。要制服北大荒桀骜的个性，在莽原上铺开锦绣良田，迎接黄金一般秋天的收成，就要战天斗地，和大自然展开一场激烈的斗争。

《分界线》这部小说，就是以“制服自然”为背景，叙述一群来自上海的知识青年，怎样在北大荒扎根成长。故事发生的时间背景，是一九七三年春夏的北大荒伏蛟河农场。故事的主线是面临了涝灾的威胁，如何经营农场。有的人坚持“以粮为纲，多种经营”，作出长远打算；另一些人只想如何赶快赚点钱，增加农场收入。因此，就发生了两条路线的冲突，发生了青年人在冲突中成长，在斗争中茁壮的故事。

作者张抗抗，是黑龙江省汤原县鹤立河农场的知识青年，是在“文革”中成长的一代。在她的一篇散文《征途在前》(《人民文学》1976 年第 5 期）中，我们仍然可以看到她心中的火热深情，仍可摸到那剧烈跳动的时代脉搏。

这种激荡的感情推动之下，使得本书充满了青春的活力，有时甚而使读者心灵的脉搏也跳动起来。我初读本书，就得到一种新鲜的感觉，似乎是全书的文字在翻腾跳跃，其实就是由于作者的激情得以恰当的表达。

张抗抗虽然是个新作家，在文字运用与故事安排上却已相当洗炼了，即如书名“分界线”，也有极浓的象征意味，相当妥帖地反映了全书的故事主线：在涝灾威胁之时，农场的田地里有一条清楚的分界线，人们的思想也有一条泾渭分明的分界线。然而，这条分界线又不是死硬不变的；它会移动，在地里，掷下的汗水愈多，良田的面积愈大，分界线就逐渐走向远方；在人群之中，大家对集体的事业愈关心，分界线也就逐渐迫近损人利己的自私分子。

在第一章中，作者描绘了五分场遇灾的田地，点出了农场里存在一条“分界线”。耿常炯等人一心为集体，出大力，流大汗，排涝种地，就使得一片土地，“差不多有二十垧，黑黝黝、油汪汪；耕松了，耙平了；地面上冒着一层绿绒，青翠得喜人”。汗水浇灌的土地上，即使遇着涝灾，小麦的春苗已经冒头了；反观其他，“仍是白茫茫的一片水”。作者叙述农场党委书记周朴来到地里察看，一眼就发现了土地有着处理不同的现象。藉着周朴的思路，作者告诉我们，故事的主脉将要由此发展：

> 这是用截然不同的两种思想的犁铧耕作的两块土地，仅只一沟之隔，面貌如此不同：一边是生气勃勃，一边是灾象沉沉；这中间有一条分界。是的，是这样的一条分界……

故事的发展使我们看到有不少人游离在正确的道路之外，可是他们并不是坏人，而他们游离的原因也各有不同，虽然综括起来大都可以说是没有认清方向，不知如何联系个人与集体的生活。因此，如何使人认定方向，跨过分界线，走到正确的道路上，就是书中的正面角色（耿常炯、周朴等人）所努力的目标。这部作品既是着眼于此，当然就有着浓厚的教育意义。

本书对于正面角色的刻画，大体上是成功的。耿常炯的形象相当突出，而最让人满意的是，在这个突出的正面角色身上，我们还发现了成长的过程。从故事一开始耿常炯由上海带着弟弟小翔回到北大荒，到他面临了种种困难的锻炼，直到最后担任防洪总指挥，掌握了全局，故事情节的发展使我们觉得，这个角色虽然高大，却不至于难以亲近。我觉得这里牵涉到一个值得深思的问题：在相当的程度上，作者显然是使用了一些“三突出”的方式，突出了正面人物的主要人物，而其效果还不错。为什么？我想，艺术成就的关键，不在于要不要“三突出”，而在于作者是不是熟悉他所要突出的题材。以本书的主角耿常炯来说，就是一个基本上成功的例子。作者张抗抗说过："人物永远是主题思想的血肉之身，没有这个血肉之身，什么样的主题思想都是无从体现的。我们在生活的激流中，同周围的各种先进人物同呼吸共战斗，热爱他们，熟悉他们，也了解他们。这些英雄战友在艰苦的环境高唱激昂的战歌，创造了史诗般的奇迹。这一切动人的事迹给了我们难忘的印象和深刻的启发，以至使我们一定要探索它的本质和意义。"（《在生活的激流中》）欧阳文彬在评论《分界线》一书时，也说过一段话：

> 我们知道，小说作者也是个农场青年，是和耿常炯他们一起战斗过来，一起在斗争中成长的。置身事内，感同身受。这是一个有利的条件。她能把有些青年人物写得跃然纸上，令人如闻其声，如见其形，为之鼓舞，为之振奋，绝不是偶然的事情。她敢于探索人物的内心世界，抒发斗争中迸发出来的革命豪情，也只有和人物同呼吸，共命运才办得到。

这很能够解释《分界线》中的耿常炯为什么是个成功的英雄人物，而恰当地使用“三突出”的方法，也可以造成生动活泼的艺术形象。

作者对于农场党委书记周朴与老贫农李青山的刻画，也注意到如何赋以血肉之身。我觉得周朴这个角色塑造得最为成功，比耿常炯还来得亲切。而李青山的性格就比较模糊，虽然隐约感到此一角色的厚实可亲，却不使人特别感动。张抗抗曾经提到她如何把一位解放军连长的真事写进周朴这个角色里，可见她是很用心提炼这个人物的形象。恐怕李青山个性的模糊，就要归咎作者对贫下中农的体会还不够深刻了。

书中的一些陪衬角色，大体上写得都不错，而以对知识青年的刻画最生动。时代红锋芒毕露，是生动活泼的典型，她那微带泼辣的性格，在一出场时就吸引住读者的注意，要归功作者气韵生动的手腕。第三章一开始，周朴发现农场的马“炸了群”，一匹枣红马惊得最凶，扬蹄飞奔，这时只见一个小伙子一个箭步蹿上前，伸开双臂就翻上了马，受惊的马又野又凶，一撅腚就把他摔下来。“可那人看来也是个烈性子，一骨碌从泥浆中爬起来，又去追它，到底给他翻上了马，紧搂着马脖子，两脚紧紧夹着马肚子，倒是很标准的骑姿势。”后来年轻人走过来了，作者藉着周朴的观察，在读者眼前呈现了时代红的性格：

周朴满有兴趣地望着他，意外地吃了一惊，原来这年轻人竟是个姑娘。她中等身材，健美、丰满，头发全被一顶洗得发白的军帽严严实实地罩在里面，连刘海也没露一丝。但这光光的额头，与她轮廓分明的方脸显得很相称，加上那两条少有的浓眉，笔直的鼻梁，显得刚劲、泼辣、大胆，明明白白地现出一股不可侵犯、藐视一切的神态。那件草绿的上衣，被泥水染上了黑花纹。一双过大的靴子，大脚趾上开着口子。

主角的弟弟小翔，在这么许多活生生的角色相比之下，就有点逊色，显得黯然。而作者在故事一开始就介绍了小翔这个角色，让他和耿常炯走在北大荒初春的草原上，理应多作一些交代，使读者看到他在北大荒成长的过程。否则，如本书这样轻描淡写地带过了这个刚从上海来到北大荒的小青年，就未免是浪费了本来可以大有作为的角色了。作者在第十章中描写小翔放风筝一段，象征意味很浓，和生活也能密切相关，本来很有助于小翔这个角色的发展与全书扎根北大荒这个主调的浮现，可惜作者没有循着这条脉络继续突出主题，只用耿常炯的一段话草草收场，是不足的地方。

故事里出现了不少非正面人物，游离在正确的人生道路之外。因此，故事的发展也就揭示了他们内心世界的矛盾，如薛川与杨兰娣的觉悟过程。在揭露他们错综复杂的心理矛盾时，我们发现了作者的热情，对掉了队的同志是了解、同情而且关心的。对于坚持错误路线，几乎造成农场重大损失的工作组长霍逦，作者也是让她有最后回转的余地，不曾一刻放弃了使她跨过“分界线”的机会。书中的重要角色，只有一个成了反面人物，即是机耕队长尤发，因为他并不是认识不清，在人生道路上流离，而是为了自身的利益，不惜破坏集体，并且进行投机倒把的盗窃行为。于此，我们也可以看到，作者对于走错了路的同志是如此耐心的引导，而非一棒子打死，这也使得全书洋溢着乐观的气息。人生的前途，就像北大荒的前途，艰难却是光明的。

在刻画非正面人物时，作者的笔触有时不够深刻，一方面或许是由于作者的人生体验，没有遭遇到触动心弦的坏人坏事；另一方面恐怕就要归咎作者在此的概念化倾向了。书中屡次提到尤发如何影响薛川与杨兰娣，却没有用情节的发展来显示，令人觉得单薄。薛川与杨兰娣这两个角色因此而有点模糊，好像是插进故事中的人物，用来推动故事发展的架构，而非活生生生长在那个环境里的人物。其实，薛川在书中本来可以有所发展，在描写他为了上大学而引起的内心冲突一段，也是强烈动人的。然而，为了显示尤发是农场中阶级斗争的“根子”，便把薛川的动摇性与尤发的影响连在一起，而没有深入探讨其中的关联，就难免造成艺术上的缺陷。此外，作者对霍逦的描写也不深刻，或许就是欧阳文彬所指出的原因：理解还不够。连带着也就影响了与霍逦多次交锋的耿常炯，使得这个主角显得火气太旺，思想的境界有点像刚从工地回到东山坞的萧长春，还不成熟。

本书对于景色的描写，有独到之处。作者对北大荒景色的观察是细腻的，描绘入微，不但给读者一种新鲜的感受，也时常藉着写景而推展故事，有时更把描写景物与刻画角色融合起来。以下征引一些描绘景色的段落，以证上面的说法，同时也可以显示作者文字运用的技巧。

全书一开始，作者描写春天的北大荒，表现了无限的活力，也透露了全书的精神：

> ……春天毕竟已经来了。无论在天上，在水中，在辽阔的原野里，春天却一日胜似一日地显出它强大的生命力。大雁嘎嘎的鸣叫，首先送来了春的喜讯；解冻的江面上，撞击着的冰块中，响起了春的脚步声；原野上，枯黄杂乱的野草丛里，一个又一个绿色的小生命，带着细细的茸毛，从土里钻出了小脑袋，眨巴着好奇的眼睛……
>
> 春从萌芽的小草里，从泛青的松苗上，从美丽的银柳条枝上，从草甸子上荡漾着的百灵鸟的叫声中，来

了！来了！

从冰凌渐渐融化的井壁上，从水泡地的高坡上、灌木丛的土缝下，从那丝丝轻柔的细雨中，来了！来了！

这是多么新鲜的春天，北大荒的粗犷气息，在作者的笔下生动地浮现了。描写春天活力的文字，触目皆是，却难得见得如此新鲜活泼的文笔。是作者创造力特别强呢，还是她长于观察，细致地表达了北大荒的真实景色呢？我看，两者都是具备的。在第九章里，作者叙述到入春之后又下了一场小雪，你看她是怎样描写的：

东北春天的气候，变化多端。这天晚饭后突然纷纷扬扬地飞起了小雪花。它不像初冬的雪那么大朵大朵、恬静安详地降落；也不像隆冬的雪那么垂下千重万重洁白的棉帘；它是密集细碎的，扬扬洒洒……

作者本来无意细写这场雪，只是叙述到了，就随心写上几句。可是，一旦比较起春雪、初冬的雪、隆冬的雪，作者就显出了她对于北大荒自然景观的熟悉，用字不多，却精确、明晰。

我们再看看作者怎样描写夏天吧：

> 转眼过了夏至，是北大荒的初夏时节了。从这时候开始，太阳每天两点钟就来催人下地。瞧瞧，多少活儿在那等着呵：间苗、锄草、耥地、追肥……庄稼是枝花，全靠人当家……
>
> 伏蛟河农场坦荡的小平原，铺上了绿色的绒毯。微风时时把这条无边的绒毯掀卷起来，远远看去，又轻盈又柔和，简直叫人想上去打几个滚儿……

这段写得生意盎然，使读者眼前出现了一片美好的田地，庄稼长得茁壮。单看这一段就已经令人欣慰了，若随着故事的发展到此，便知道农场的人会是多么欣慰，因为他们出了大力，流了大汗，开了排水渠，救了水淹的田地。你看，作者随着就描写起田里的庄稼了：

> ……小麦齐膝高了，平展展的，风吹麦浪翻滚，像绿色的海涛；大豆圆而宽的叶子，一墩一墩稠密地排列着，准备迎接金色的摇铃时节；苞米自从钻出它那尖尖的脑袋之后，便以惊人的速度，一日胜一日地向上挺身；谷子、高粱、大麦……

作者对于庄稼的熟悉，使我们读来亲切，对于北大荒的农场生活也觉得亲近了。或许这就是作者的目的，间接地告诉我们：只有投身其中，才能深切体会其中的乐趣与快慰。她紧接上引的一段，表达了这个“如人饮水，冷暖自知”的意思：

> 大地的庄稼是绿色的，菜园的蔬菜是绿色的，大路边的林带是绿色的，而在这浩瀚无际的绿海中，亲手培育了它们的农场青年却能从中分辨出各种不同的绿色

来：白杨，是墨绿；庄稼，是翠绿；菜园，是嫩绿；大甸，是草绿……

在这一段里，作者已经表达出青年的欣慰之情，虽然还只是笼统言之。在第十六章中，作者描写时代红赶着一群牛到草甸子去，才达到了情景交融的顶点。

全书流露出年轻人活泼生动的气息，对于北大荒生活的描写令人感到新鲜而且兴奋。我想，这些成就或许是要归功张抗抗自己的生活体验吧。书中对于知识青年的刻画多于对当地农民的描写，则与题材的限制有关，难以苛求。但是，我们仍然希望，作者能够在深入生活之中，为我们写出一部波澜壮阔的北大荒生活史，其中不但有跳掷的知识青年，还有朴实厚重的农民。

一九七六年十一月二日初稿

一九七七年四月十三日易稿

本文刊登时署作者笔名程步奎

文化的再生

——郑培凯谈散文创作

访问者　李浩荣

问：青年时代，您属于“左派”，请谈谈您的成长教育，好吗？

郑培凯：我少年时，台湾正值“白色恐怖”时期，社会单一，令我非常反感。社会要多元才好，多元开放才有生命，这是我的价值观。而这种价值观的营造，大概跟我台湾的成长经历有关。我家属于传统家庭，父母要求严格，要孩子们好好读书，幸好，我脑袋也颇适合念书，但我的弟弟妹妹就不是读书的材料，不过，他们另有所长。小时候，没有电视看，我就读书，读小人书，读武侠小说。当时的台湾报纸，有好几位写连载武侠小说的，像诸葛青云、卧龙生，我都看过，上官鼎、司马翎写的也看，甚至看过平江不肖生与王度庐的早期武侠技击小说。而金庸在台湾是禁书，我要到初三时才从班上同学处，读到他花大价钱走私来的《射雕英雄传》。《水浒传》我小时候很喜欢读，看完了，还跟弟弟妹妹讲故事，所以，情节都熟稔，现在我写作，梁山好汉还会自然而然从脑海中跳出来。中学以后，我对文学特别感兴趣，读西洋文学，读古典文学，开始有了自己的想法。然后我留学美国，接触到大量的非官方资讯，对国民党控制的教育更是痛心疾首。在台湾思想禁闭得太厉害了，所以，甫到美国，我变得很激进，走到另一极端去了，曾经对社会主义乌托邦充满憧憬。乌托邦的理想是好的，但有时候，实行的手段却不对。年轻的时候，我还很喜欢西方的现代戏剧，如贝克特、尤内斯库，他们的戏颠覆性很强，那种叛逆的心理，对封闭环境成长的我们来说，很吸引。

问：您和董桥的散文，均流露出对古典中国的向往，但不同的是，董桥对文化的继承甚为悲观，而您却较为乐观，为什么您会有此心态的呢?

郑: 客观地看,我在台湾长大,受国民党式的教育,然后留学美国,研究中国历史,想必也属于"后遗民"。但是,就因为我是研究历史的,看待人类的发展,往往需要跳出自己生活的局限,望长远一点。中国文化之没落,乍看来,似乎是事实,但是,发展是会改变的。从历史来讲,近代中国最根本之变化,乃由农耕文明,变为工业文明。如此大之转变,在欧洲亦同样发生过,且早在三四百年前,一步一步地演变至今。欧洲的"文艺复兴"并非回到古希腊、古罗马,只是从这两大源头吸取养分,摆脱神权的压制,进而开创出一崭新之格局。当代中国,面临经济化、全球化的冲击,急功近利,唯利是图,让读书人感到失望,我想,正是到了一个转折点,需要回到传统文化中去寻找资源,洗濯精神。中国的问题是发展过快,一百年间突然转变过来,以壮士断腕的手段,割断自己的文化传统,企图"师夷之长技以制夷",甚至满脑子"超英赶美",当然会心理失调,丧失了文化认同的依归感。然而,过去的文化并不一定要全然被我们所抛弃，关键在于去芜存菁，拾回自身民族所独有之精神，继而发扬开创。我的乐观正建基于全民族之投入开创，这也许跟我经常与年轻人沟通有关。董桥不一样，他的文章亮丽典雅，闭关书斋，自成一格，神交超凡脱俗的雅士，不太跟俗人接触的。当然，中国传统文化有糟糕的地方，特别是农耕社会累积的陋俗很多，年轻人也知道许多了，不必我再来介绍。那我就专注传统审美思维，思考古人如何追求个人的幸福与美好生活，把中国文化独特的美介绍给年轻人，这对他们的“文化认同”亦甚有帮助。“认同”是个人信念的心理依归，需要稳定的文化基础，需要血脉相承，如果天天向往别人的文化，那“认同”又何以谈起呢？但最近，我发现年轻人对自我有了文化追求，积极地追寻生命的意义。

问：苏东坡是您最喜爱的作家，读您的散文，也会发现您和东坡一样，满心幽默。您还喜欢哪些作家呢？

郑：我喜欢苏东坡、陶渊明、白居易、汤显祖。汤显祖遇到过许多挫折，但最终都超越过去了。还有屈原，不过，我不喜欢他的个性，但喜欢他的作品。西方作家我从少年读到老的，是荷马和莎士比亚，他们都在写人性，不同性格的人物，在不同的处境，有不同的选择，也有不同的后果，人物就是这样子活起来的。莎士比亚笔下没有什么明确的道德褒贬，这是西方近世文学的优势，挣脱了中世纪基督教的束缚，而中国文学道德包袱较重，一直到近现代的新文学，还是强调“人生的文学”，成了换汤不换药的“文以载道”。至于诗词，则另有抒情传统，道德的褒贬就少一点。所谓“诗言志”，当中的“志”，按《诗大序》，应理解为个性的发抒，所以，中国诗歌的抒情，多为个人的声音，较为单纯。我写散文，一如我写新诗。

问：虽然您是写新诗的，但您散文谈论旧诗词的篇幅，远比新诗要多，为什么呢？

郑：这跟我教书有关，平日课堂我要用白话跟学生讲清楚传统诗词之优美。历史是有变化，但人的处境好像变化不大，只要让学生了解诗词的背景，他们还是可以代入人物的心理中去。我教《诗经》，讲爱情，不管历史怎样变化，“食色性也”依然存在，这是动物本性的驱动，变化的可能是文明的进程，影响了人类的审美标准。除了作家，我还是教师，这身份对我写作有一定的影响。

问：您的散文还喜欢把现实中人比拟戏曲人物，例如把梁羽生比喻《紫钗记》的黄衫客，可以谈谈这种虚实相融的技巧吗？

郑：有的时候我是明引典故，而有的时候则是暗用，有中国的典故，也有西方的。中国的典故，我较多直接引录原文，而西方的典故，则引用情节或人物，始终拿原文并非中文。我的散文还喜欢用成语，但往往并不是袭用原意，而是另作新解。为什么我会引用历史典故？会联想到过去的文学与戏曲？我想跟我自己生活经验有关，因为我读书多，看戏多，从中阅历的人生经验也多，就发现许多当前发生的事情，追根究底，和古人经历的处境与抉择也差不多，值得我们思考。

问：身为戏迷的您，很强调“案头文本”与“舞台演出”的分别，这对您散文的对白写作，会有影响吗？另外，您的散文喜欢塑造不同的人物来发表议论，既深刻，又周全，这是您从戏剧中所得到的灵感吗？

郑：中国的戏剧诗词元素较浓厚，容易让读者陶醉于文辞当中，那是写给士大夫看的。舞台表演就不一样了，表演要兼顾各个方面，如音乐、舞蹈等。有时候，我的散文写人物对话，既像对谈，又像自说自话，这就是运用了戏剧的手法。因为写专栏，时间有限，字数也有限，不太可能长篇大论。所以，我就模拟不同的持份者，各从自己的角度，发表意见，我还会把自己加入进去，但不想去评论观点的对错。

问：读您的散文，发现您很喜欢植物和行山，最近还在研究《徐霞客游记》，请谈谈您这两大爱好。

郑：虽然我一直在城市生活，但却很喜欢大自然，在香港十几年，每周都会行山。中草药的书我经常会翻一翻，李时珍我特别佩服，我家还有一套中国医药出版社出版的《本草纲要》，两大册，书里有现代注释，并且收入现代医学知识的探讨。古代有一本《群芳谱》，后来更扩充成《广群芳谱》，我也经常读，古草药收集得很齐全的。我拿起这些中草药的书看，譬如翻到蔷薇科，里面还引用许多的诗句，可以看到古人如何描写这些植物。至于徐霞客，这个人很了不起，不求功名，而向往山水，跟同代人的抱负不一样。我小时候在台湾读《徐霞客游记》，是因为地质学家丁文江的关系。丁文江从英国留学回国，到云南进行地理考察，有朋友把《徐霞客游记》介绍给他，说徐霞客也游历过当地。丁文江读后发现徐霞客对自然地貌记载得非常仔细，不禁大为惊讶，遂把《徐霞客游记》当成科普读物，大力宣传。我的游记写作跟徐霞客有一点相似，眼见为凭，从某地到某地有多远，我要亲历过才敢告诉读者，当然，这或许会妨碍作者的想象，但不要紧，《徐霞客游记》还是写得非常的美。

问：您的散文还显示您非常喜欢阅读“古典笔记”，可以分享一下这方面的阅读经历吗？

郑：我阅读的“古典笔记”可以分为两类。一类是小说，例如唐宋传奇、《聊斋志异》、《阅微草堂笔记》，甚至先秦的《山海经》，怪力乱神，从小我就很爱看这类的故事书。另一类是杂记，例如《酉阳杂俎》和《东京梦华录》，后来我到美国，读到了许多由当时大陆出版的标点笔记丛书，由唐宋到明清，每出一本我必定拿来看，看书里写的社会风俗，可以了解当时人的所见所闻所思。因为我学历史，读正史是我的正业，然而，正史都写得四平八稳的，无趣得很，我反而更爱看一般老百姓的生活。

问：您还写了一系列的饮食文章，将学术文化与大众趣味共冶一炉，而且很多时候，是跨文化的探讨，当初为什么会有这样的尝试呢？

郑：中国人常常自夸自家菜最好吃，世界第一，广东人赞美粤菜，上海人称赞沪菜，别的菜式全不屑一顾。而我因为长年流落外地，无办法，什么菜都逼着要吃，然后发现，各种菜式都有其特色，都好吃，都有各自的文化传承，都是经验的累积。我二十世纪七十年代刚去美国，美国菜难吃得很，食品加工，只求谋利，大规模生产的食物，味如嚼蜡。但同一时间，美国爆发了一场“饮食革命”，让美国人认识到，要借鉴欧洲的烹调技术，并利用本地新鲜的食材，才能创造出美食来。中国人很早就认识到“新鲜”这一点，我们强调“时令菜”，把烹饪跟季节结合起来，最自然，最环保。垃圾食物则最可恶，把人跟自然的联系都打断了不说，还有损健康。所以，我写饮食文章，希望大家恢复时令餐饮，与大自然的运行合拍。

图书在版编目（CIP）数据

文化审美与艺术鉴赏 / 郑培凯著.—上海：文汇出版社，2017.7
(赏心乐事谁家院)
ISBN 978-7-5496-2084-5

Ⅰ. ①文… Ⅱ. ①郑… Ⅲ. ①随笔 – 作品集 – 中国 – 当代 Ⅳ. ① I267.1

中国版本图书馆 CIP 数据核字 (2017) 第 082584 号

赏心乐事谁家院：文化审美与艺术鉴赏

作　　者　郑培凯

《书城》杂志出品
出 品 人　李　爽
策 划 人　含梅阁
责任编辑　陈今夫
策划编辑　齐晓鸽
助理编辑　凌　励
书法题词　郑培凯
装帧设计　张志全

出版发行　文匯出版社
　　　　　上海市威海路755号
　　　　　(邮政编码200041)

排　　版　南京展望文化发展有限公司
印刷装订　上海中华商务联合印刷有限公司
版　　次　2017年7月第1版
印　　次　2017年7月第1次印刷
开　　本　889×1194　1/32
字　　数　190千
印　　张　13.5

ISBN 978-7-5496-2084-5
定　　价　58.00元